아시아지역학으로 보는 용인의 재발견

아시아지역학으로 보는
용인의 재발견

대한아시아지역학연구회

아시아지역학을 통해 용인을 바라보다

21세기에 대한민국에 가장 크게 성장한 도시를 꼽으라면 용인시를 꼽을 수 있을 것입니다. 1996년 당시에 24만 명 내외의 인구를 가지고 있어 막 시로 승격한 용인은 현재는 경기도 제2의 도시이자 한국 최대의 반도체 도시 및 교육 도시가 되었습니다.

특히 서울과 비등한 수준의 인프라와 경기도에서 가장 살기 좋고 쾌적한 도시인 용인의 발전은 지금도 계속되고 있으며 젊고 강한 도시의 매력을 강하게 보여주고 있습니다.

이러한 용인은 이제 한국을 넘어 아시아 전역에 비상한 관심을 주는 도시입니다. 특히 아시아지역학으로 보면 가장 아시아적인 마인드를 기반으로 하여 그 독창성을 갖춘 도시이므로 관련 관심이 상당합니다.

우리는 본 저서에서 용인에 대해서 아시아지역학을 통해 살펴보고 도시의 잠재력과 관련 배경에 대해서도 심도 있게 살펴보고자 합니다. 또한 도시 경영이 얼마나 긍정적으로 이루어지는 것인지에 대해서도 깊이 있게 평가하고자 합니다.

새로운 시대에 새로운 혁신이 용인에서 일어나고 있습니다. 이러한 용인의 발전과 변화는 우리에게 새로운 가능성을 보여주고 있으며 아시아지역학에서는 하나의 새로운 연구 대상으로 살펴볼 수 있습니다.

목차

지금 왜 용인인가?

I. 머리말

아시아에는 무수히 많은 도시가 있으며 대한민국에도 무수히 많은 도시가 있다. 그러한 도시 중에서 용인을 선택한 것에 대해서 많은 사람들이 의아함을 가질 것이다. 사실 용인에 대해 잘 알거나 알지 못하더라도 아시아의 많은 도시 가운데 어떠한 것이든 용인을 택한다는 것은 쉽지 않다.

이는 기본적으로 용인이 급성장한 신생 도시로 그 인

지도로 국내외적으로 아직은 부족한 면이 많으며 특히 수도권 도시가 대부분 가지는 서울의 베드타운이라는 오해에 기인한 견해도 이러한 것에 힘을 보탤 것이며 독자의 이해에 방해가 될 수도 있다.

하지만 우리는 여러 도시 중에서 용인을 선택했다. 이는 기본적으로 용인이 서문에서 말한 것처럼 아시아지역학으로 볼 때 가장 적합한 도시이자 훌륭한 도시경영이 이어지고 있기 때문이다.

물론 용인도 유토피아로 말할 수는 없으며 모든 부분이 완벽한 도시는 아니다. 그러나 아시아지역학의 고유 뜻을 살피고 그 정신을 고려할 때 오히려 가장 아시아적인 도시가 용인이며 서구와 다른 고유의 정신을 볼 수 있는 도시이다.

우리는 이러한 결론을 내리고 용인에 대해 탐색했다. 이 책을 읽는 독자로서는 쉽게 이해하기 어려운 부분이나 반론도 있을 것이다. 하지만 이 책의 끝에서는 용인에 대해 최소한의 인정을 할 수 있을 것으로 자신한다.

II. 아시아지역학과 도시

  아시아지역학의 탄생 과정을 살펴보면 제2차 세계대전 이후 아시아가 서구에 의해 독립하면서 그 학문이 태동하였다. 이는 오랜 기간 서구에 비해 우위에 있거나 최소한 대등하다고 생각한 아시아가 산업혁명 이후 막강한 힘을 바탕으로 아시아를 식민지로 만들거나 경제적 수탈을 일삼았던 충격과 치욕에서 근거한 것이다.

  고로 아시아지역학은 서구와 다른 아시아의 가치를 학제적으로 찾지만, 그것이 서구보다 과학적으로 우위에 있고 새로운 논리성을 반드시 갖추어야 하는 것이다. 그렇기에 전근대적인 종교나 사상과는 정확히 반대되는 대척점에 있다.

  또한 그것을 탐색하는 과정에서 경영학자들의 공이 컸고 여러 이론적 배경 자체를 경영학에서 가져왔다. 그렇기에 아시아지역학을 이해하려면 경영학을 반드시 이해해야 하고 경영학에 대한 이해가 없다면 아시아지역학을 이해하지 못하는 것과 같다.

  그러하면 아시아지역학은 아시아만의 독자적인 경영

방식을 모색하는 것을 목적으로 한다고 할 수 있다. 여기서 경영은 협소한 기업 경영이 아니라 학제적 의미에서의 모든 경영과 더불어서 아시아인 개인 차원의 경영까지 포괄하는 몹시 폭넓은 개념이다.

그러한 점에서 아시아의 도시는 이러한 아시아지역학적 입장에서 살펴보려면 그 학문적 과거 배경을 보고 나서야 도시에 대한 색다른 관점에 대해서 올바르고 정확하게 이해할 수 있다.

기본적으로 아시아의 도시는 유럽이나 아메리카 혹은 아프리카, 오세아니아의 도시와 그 개념적으로는 같다. 사실 도시라는 것이 각 지역 혹은 시대에 따라 형식은 달라져도 본질에서는 동일하다. 이는 아시아라고 해서 예외가 아니다.

그렇다면 아시아지역학에서 보는 도시는 서구의 도시와 어떠한 차이점을 볼 수 있는지에 대해 먼저 진지하게 고민해야 한다.

도시는 기본적으로 한 국가에서 가장 첨단을 달리는 곳이며 많은 사람이 모인 총체이다. 이는 기본적으로 도시라는 개념은 같더라도 그 도시가 보이는 문화적 혹은 정신적 모습은 다른 도시와 흡사한 경우는 특별한 상황이 아닌 한 거의 없다.

고로 아시아지역학에서 보는 도시는 아시아의 고유한 정체성을 담은 느낌이 나는 도시이며 서구의 도시를 일방적으로 표절한 것이 아니다.

용인은 겉으로 보기에는 아시아적 도시라고 보기 어렵다. 이는 대개 아시아 하면 무언가 과거의 것을 떠올리므로 전통시설이 존재해야 한다는 고정 관념에 입각한 것이다.

하지만 우리가 보는 것은 기본적으로 도시 그 자체에서 느끼는 에너지이지 단순한 외관이나 내부 시설에 관해서는 관심 사항이 아니라고 할 수 있다.

도시의 에너지는 기본적으로 정신이고 그 정신이 아시아적이면 아시아지역학에서 보는 도시에 부합한 것이다. 반대로 아무리 전통 시설이나 문화를 덧칠해도 정신이 서구적이면 아시아지역학에서 보는 도시에 부합하지 않는다.

III. 아시아적 도시 철학

아시아지역학의 도시는 기본적으로 아시아적 도시 철학이 가미된 것이다. 서구의 철학의 그 속내를 살펴보면 기본적으로 개인주의적 성향이 몹시 깊다. 이는 도시에도 반영되어 철저히 개인에게 편리하면서 분리된 공간 구조를 이룬다.

하지만 아시아의 철학은 그 속내에서 공동체주의적 성향이 존재한다. 이는 서구에 비해 상대적으로 협동과 공존이 중시되는 것으로 개인 공간이 존재하지만, 공동 공간에서는 타자와 자신이 상호 합일되어 하나의 존재처럼 느끼는 경험과 활동을 할 수 있게 한다.

특히 이러한 점은 단순히 협소한 하나의 공간에 불과한 것이 아니라 도시라는 전체 공간에서 다양한 계층과 대상이 자연스럽게 어울리는 것을 의미하며 그 과정에서 그 어울리는 공간이 부정적인 곳이 아닌 자연스러운 곳으로 느낄 필요가 없을 정도로 인식되어야 한다.

이러한 공존의 정신이 기본적으로 아시아적 도시 철학이며 아시아지역학에서 몹시 중요하게 보는 가치이자

에너지라고 할 수 있다.

IV. 소울이 있는 도시, 용인

용인은 우리가 위에서 거론한 아시아적 도시 철학이 잘 녹여져 있는 도시이다. 겉으로 보기에는 각자의 지역이 따로 발전하여 하나의 정체성이 없는 듯 보이고 실제로 여러 갈등이 있었지만, 그것을 극복하고 '용인'이라는 하나의 모습으로 통일하는 과정이 아시아의 역경 극복과 해방과 비슷하다는 의견이 있을 정도이다.

특히 다른 도시는 오랜 역사를 자랑하지만, 용인은 신생 도시이지만 그 규모가 커지면서 절대 가볍지 않은 영향력을 보이는 점에서 상당히 관심을 받고 있고 특히 작은 도시가 대도시까지 성장하는 모습을 처음부터 끝까지 볼 수 있다는 점에서 상당히 흔하지 않은 대상이다.

이러한 점에서 용인은 소울이 있다고 할 수 있다. 한국어로는 영혼으로 표현할 수 있지만 이는 인간으로 협소하게 사용하고 그러한 인식이 있으므로 부득이하게 그 느낌을 살리고자 영어로 소울로 표기하였다. 즉 우리가 소울이라는 단어를 들었을 때의 느낌이 용인에는 강하고 아름다우면서도 창조적으로 녹아있는 것이다.

V. 결론

용인은 다른 도시에 비해 그 역사가 다소 짧은 신생 도시이지만 그 영향력과 존재감은 결코 작은 도시가 아니다. 이러한 점은 경제적으로 성장하는 것도 있다.

하지만 근본적으로 용인의 모습을 타자가 인식하게 되는 것은 아시아적 도시 철학이 잘 녹아 있으며 그러한 모습이 아시아지역학과도 부합하기 때문이다.

아시아지역학과 용인은 이러한 위에서 설명한 배경과 같은 점에서 궁합이 잘 맞고 실제로 용인 지역 사회에서는 아시아지역학에 관한 관심이 증가하고 시민들도 용인의 정체성을 만드는 것에 아시아지역학을 경영적 도구로 사용하기도 한다. 이는 아시아의 대표 도시로 용인이 성장하기 때문이다.

용인과 함께 고대의 두 국가를 살펴본다

Ⅰ. 머리말

용인을 살펴보려면 먼저 서구와 아시아의 도시와 그 도시의 토대를 만든 국가를 먼저 살펴보아야 한다. 서구의 도시 토대는 로마에서 탄생했으며 아시아의 도시 토대는 중국 진나라, 한나라에서 탄생했다.

두 국가는 모두 서구와 아시아의 유명한 고대 국가이며 상당한 문화적 중심지 역할을 했다. 그렇기에 두 국가를 살펴보면 아마 이해가 높을 것이다.

특히 로마에 비해 잘 알려지지 않은 진나라와 한나라에 대해서 살펴본다면 아시아의 독특한 점과 한국 고유의 가치에 대해서도 한 번 고민하고 한국의 독창성도 찾을 수 있을 것이다.

II. 진나라의 천하통일

현재까지 인류 역사상 최대 규모의 제국 중 하나이자 고대 아시아에서 가장 큰 제국이고 현재까지도 단일 역사로 영향을 주는 문명권은 중국이다.

이러한 중국의 고대 역사를 살펴보면 하나라에서 시작된 중국의 역사가 주나라에 이르자 그 부패와 타락은 도를 넘었다. 우리가 흔히 아는 주지육림(酒池肉林)이라는 말이 주나라에도 쓰일 정도였다.

주지육림은 술로 연못을 만들고 고기를 매달아 숲을 이룬다는 뜻으로 하나라 말기 걸왕 그리고 상나라 말기 주왕이 만든 연회장을 의미한다. 이곳에서 남녀가 술에 취해 즉흥적으로 난교가 벌어지는 등 그 타락상은 이루 말할 수 없는 지경이다.

이러한 중국의 현실 속에서 지방의 호족들은 들고 일어나고 농민 봉기도 일어나면서 완전히 나라가 분열되고 온갖 세력과 사상 그리고 종교가 난립하는 혼란기가 춘추전국 시대이다.

해당 시대에 우리가 잘 아는 공자가 활동하고 유교가 탄생하였다는 것은 역설적으로 그 시기의 복잡한 혼란상을 증명하는 것이다.

당시 중국 북서부에 있던 진나라는 강력한 군사력과 엄정한 규율을 가지고 사분오열된 중국을 통일하였으며 왕이었던 영정은 중국 최초의 황제라는 뜻으로 진시황이라고 불렸다.

그는 통일 이후 강력한 중앙집권국가를 세웠다. 이는 현재의 중화인민공화국과 진 이후 중국의 여러 왕조 국가가 추구했던 강력한 중앙집중적 국가 전통을 세운 것이다. 또한, 귀족들의 권력 기반을 파괴하기 위해 그들을 멀리 떨어진 곳으로 이동했는데 이는 한국과 일본에도 유사한 제도가 생기는 것에 좋은 선례가 되었다.

그리고 통일된 문화를 창조하고 수로와 운하를 건설하며 언어와 도량형을 통일했다. 그리고 현재도 중국의 유명한 유적인 만리장성을 이민족의 침입을 막기 위해 처음 건설에 착수했다.

하지만 과도한 통일성에 집착한 나머지 법가를 제외한 다른 사상을 모두 이단시하여 분서갱유(焚書坑儒)라고 불리는 과도한 사상 및 학문 탄압을 하였고 고된 노역에 백성을 희생시키어 그 불만이 커지도록 하는 심각한 화근을 만들었다.

진시황은 영생을 꿈꾸며 불로초를 찾고 수은으로 이루어진 강이 흐른다는 구전이 있는 진시황릉을 지어 그의 권력을 대내외에 과시했다. 이것은 비슷한 시기의 로마제국의 황제들이 행한 권력 과시 이상이며 이집트의 피라미드 건설에 필적하거나 그 이상이라도 평가될 정도이다. 고로 그것을 일방적으로 헐뜯을 필요는 없다.

비록 진시황 사후 허무하게 진은 무너졌지만, 중앙집중화된 중국의 첫 기틀을 세웠다는 점에서 진나라의 의미는 작지 않으며 사실상 이후 한나라와 동일한 문화적 국가인 점에서 한나라의 시작이라도 평할 수도 있다. 또한 일각의 학자들은 진나라와 한나라는 하나의 국가로 보는 경우가 있는데 이는 문화 부분에서 기인한다.

III. 한나라와 한족의 탄생

중국의 주류 민족이자 일반적으로 중국 민족이라고 하면 주로 한족(漢族)이 연상된다. 이 한족에서 '한'이라는 글자는 한나라에서 따온 것이다.

한나라는 중국 역사상 최초의 국가도 아니고 최초로 통일한 국가도 아니며 무수히 많은 국가 중 하나였던 한나라가 중국 민족을 대표하는 명칭이 된 것은 몹시 깊고 복잡한 사연이 존재한다.

진시황이 죽고 흔히 호해라고 불리는 이세 황제가 그 뒤를 이어받자, 진나라의 혼란은 극에 달했다. 폭정과 사치 그리고 주색에 빠진 왕은 민생은 아랑곳하지 않고 자신의 곳간을 채우는 것에 집착했다. 끝이 없는 반란과 봉기는 더는 진나라의 미래가 없음을 의미했다.

우리가 흔히 초한전이라고 불리는 시기가 진나라 말기이자 한나라 초기인 '초한쟁패기'이다. 진나라는 사실상 소멸했고 초나라를 주창하는 항우와 한나라를 주창한 유방이 대결하였다. 그리고 그 결과는 유방이 승리하고 한나라가 다시 중국을 재통일했다.

한국사에서도 신라가 최초로 삼국통일을 하지만 백제와 고구려의 후신을 주장하는 세력의 봉기에 휩싸이고 심지어 고구려의 후신을 주장하는 발해가 건국되면서 사실상 얼마 되지 않아 분열된 역사가 있다.

그리고 그 이후 발해·후삼국시대를 지나서 왕건이 고려를 건국하고 삼국을 재통일하며 발해의 유민을 받아들여 한민족의 사실상의 정신적 통합을 이룩한 것을 살펴보면 한나라도 진나라의 통일 실패와 분열상을 반복하지 않기 위해서는 무언가 다른 접근이 필요했다.

한나라의 초대 황제가 된 유방은 법가 대신 현재의 유교가 되는 유가 사상을 채택하면서 덕에 의한 통치를 하였다. 인간적인 얼굴을 한나라의 황제는 백성의 어려움을 살피고 정치에서 민생을 최우선적으로 하였다. 특히 농민에게 많은 덕을 베풀어 지지를 얻었다.

이는 그가 농민 반란의 지도자로 출발했기에 농민의 마음을 잘 알고 있다는 후대 역사가들의 긍정적 평가도 있다. 이외에도 현대에도 널리 쓰이는 종이를 발명하는 등 과학 발전도 증가하면서 문명적으로도 인류에게 많이 이바지한 국가이다.

아무튼 한나라는 진나라의 문제점을 극복하고 폭압이 아닌 인에 의한 인간적 통치를 이어왔기에 현재의 중국도 한나라를 가장 유서 깊고 멋진 나라로 여기며 스스로 한족이라고 부르는 것이다. 고로 그들이 만든 도시에서도 상당한 덕치적 요소가 많다.

IV. 한나라와 로마

위에서 설명한 것처럼 인류 역사에서 고대 주요 제국은 한나라(진나라)와 로마이다. 그들은 실크로드 무역로를 만들어서 교역하고 로마는 중국제 비단을 수집하고 한나라는 산호와 유리를 수입했다.

유라시아 대륙 양 끝에 있는 두 제국인 로마와 한나라는 비슷한 점이 많았다. 그들은 광대한 영토를 정복하고 개편했으며 오랑캐의 공격에 맞섰다.

그리고 당시 각자 소재한 지역의 문화적 및 정치적 중심지였으며 정신 문화적 부문을 살펴봐도 로마의 신화 중 '황금의 시대'와 중국의 신화 중 '요순시대'의 내용이 비슷한 부분이 존재하는 등 상호 간의 깊은 문화적 교류가 있었음을 알 수 있다.

하지만 현재의 로마는 이탈리아를 비롯하여 여러 나라로 분열되었고 동로마 제국의 수도였던 콘스탄티노플은 완전히 성향이 다른 이슬람 국가에 손에 넘어가서 현재도 터키의 이스탄불로 명맥을 잇고 있다.

그러나 로마의 붕괴와 그 내부에서 다양성을 증진하는 행위는 역설적으로 시민이라는 개념이 탄생하고 성장하며 현재까지 영향을 주는 계기가 되었지만, 중국은 통일된 채로 현재까지 오면서 로마와 다른 형태의 시민을 만들고 발전시키는 다른 면도 있다.

근래에 유럽이 성장하고 제국주의 시대를 거치면서 서방의 역사가들에 의해 한나라가 폄하되고 로마의 위상을 높이지만 당시 한나라는 로마도 두려워하는 지구상 초강대국이었으며 로마에 미친 경제적, 사상적 영향력은 무시할 수 없었다.

즉 로마는 한나라를 많은 부문에서 벤치마킹한 사례가 있으며 중국이 고대 유럽에 영향을 미쳤다는 것을 로마와 한나라의 기록과 유적을 통해 다시금 잊힌 과거의 역사를 알 수 있는 셈이다.

또한 로마의 도시와 한나라(진나라)의 도시는 흡사한 부분이 있지만 로마는 도시가 자족성이 부족하고 취약한 문제가 있지만 한나라(진나라)의 도시는 그러한 점에서 튼튼했으므로 국가의 미래까지 달라졌다고 일각에서는 주장하기도 한다.

V. 통일 이후 중국과 유럽

기본적으로 민족은 개인에게는 정치적 우산이며 종족보다 더 넓은 보호를 끌어내는 우산이다. 국제적 관점에서 민족은 가족과 유사하다. 가족 간 대립이 심해지면 종족의 불안이 커지는 것처럼 말이다.

하지만 이러한 민족이 형성되고 분열되지 않기 위해서는 가만히 있어서는 안 된다. 민족 그 자체는 우리에게 너무나 자연스럽지만 실제로는 자연스럽게 형성되는 것이 아니기 때문이다. 특히 거대한 제국은 초신성과 같기에 그러한 제국의 민족은 더욱더 강하게 결속하지 않으면 스스로 무너진다.

특히 시대와 장소를 불문하고 권력이 무너지면 내부적으로 진공상태가 되고 민족이라는 개념은 휴지 조각이 되므로 더욱 이를 평시 상태에 유지하고 발전시켜야 할 필요성이 제기되는 것이다.

권력에서 가장 큰 힘은 '합리적 설득'이 가지고 있는 것처럼 민족을 만들고 분열시키지 않으려면 통일된 이데올로기를 제시할 필요가 있다.

이 점에서 진나라와 한나라는 중국 대륙을 통일한 이후 법가나 유가와 같은 통일적 통치 이데올로기를 제시했지만, 로마는 지중해를 장악하고도 황제 숭배와 같은 초보적 수준의 이데올로기를 제시하다가 이후 기독교를 공인해 보았지만, 오히려 기독교에 정신적으로 잡아먹히는 역설적 상황이 생겼다.

결국 중국은 현재까지 살아남았고 로마는 멸망했다. 이는 중국은 구심력이 강했지만, 로마는 몹시 약했다는 것이다. 특히 훈족의 침공 이후 교회 권력이 정치권력보다 강해지고 신권이 황제권이 위에 서는 상황이 발생한 것을 보면서 중국은 한 번도 종교가 정치권력 위에 선 적이 없음을 보면 그러하다.

또한 중세에 종교가 모든 것을 좌지우지하는 암흑기까지 추가로 본다면 고대나 중세 중국을 미개하다고 말할 수 없을 만큼 로마보다 중국이 월등히 우월하다는 것을 알 수 있다.

한편 로마는 통일된 이데올로기를 제시하지 못해서 권력이 약해지자, 무역이 파괴되고 도시는 몰락하고 자유민은 농노화가 되었다. 공통의 언어였던 라틴어는 상실되고 지금은 완전히 사어가 되었다.

하지만 중국은 그렇지 않았으며 오히려 공통된 언어를 지켜냈고 지금까지 이어왔다. 그리고 로마 말기의 현상은 거의 중국에는 나타난 적이 없다. 그렇기에 우리는 공통된 이데올로기를 제시했던 중국과 그렇지 않았던 로마를 다시 한번 살펴볼 필요가 있는 것이다.

VI. 도시를 중심으로 문명의 충돌에 대처하는 두 국가

중국 고비사막 북부지역에 사는 한 마을 사람들의 혈통을 조사하니 고대 로마 군단의 후예로 밝혀졌다. 이들은 로마 멸망 이후 이주하여 현재 중국에 정착한 것이다. 이처럼 중국과 로마는 고대부터 밀접한 교류가 있었고 서로가 비슷한 국가이면서 깊은 영향을 주었기에 비교할 가치가 있는 것이다.

고대사를 다시 살펴보면 당시의 로마 제국이 성장하고 기독교가 공인되면서 그들은 더 이상 팽창하지 않고 현 상태를 유지하고자 하였다. 하지만 더는 노예가 들어오지 않으니 '고대 노예제 사회'의 경제 구조가 유지되기란 어려운 점이었다.

더군다나 로마 황제들은 대중추수주의에 빠져서 대규모 토목공사나 콜로세움의 검투사 경기를 통해 대중의 환심 사기에만 급급했다. 이렇게 로마가 안으로 곪아가면서 동로마와 서로마가 분리되고 서로마는 게르만 이민족에 의해 멸망하고 비잔티움 제국으로 바뀐 동로마는 이슬람 세력에 의해 멸망했다.

이후 유럽은 중세에 들어가면서 종교가 모든 것을 지배하는 '중세 농노 사회'가 되었고 십자군 전쟁을 통해 이슬람 세력과 여러 번 충돌하면서 문명의 충돌에 몹시 취약한 모습을 보였다.

한편 중국은 여러 이민족 왕조가 있었고 몽골 제국의

침공과 원나라 수립 그리고 중국 역사상 마지막 왕조도 만주족의 청나라지만 특유의 중화사상과 이민족 포용 정책으로 문명의 충돌에서 비록 힘으로는 일시적으로 밀려도 결국 궁극적으로는 승리하는 모습을 보였다.

이러한 점에서 현재 서방과 비서방의 대리전으로 불리는 러시아와 우크라이나의 전쟁 양상의 편향성과 한반도 내부의 서방 편향적 관점의 우려성도 이러한 역사를 통해 볼 수 있는 것이다.

그리고 현대의 문명 간 충돌이라고 할 수 있는 베트남 전쟁에서 미국이 패배한 것도 무력 우선주의에 입각한 것이라고 보는 정치학자들의 관점도 있다.

그러므로 현대 사회의 서방 영향력과 배울 점은 상당하고 우리도 열심히 배워야 하는 것은 자명하지만 문명의 충돌에서 오로지 힘으로만 대항한 유럽과 현재의 미국을 비롯한 서방이 행한 모습보다 중국이 문명의 충돌에서 보인 모습이 좀 더 수준 높고 우리에게 여러 참고할 점을 시사한다고 할 수 있다.

그렇기에 서방의 관점을 무비판적으로 받아들이고 맹종하는 것의 문제와 위험성도 우리가 역사를 통해서 다시 반성적으로 살펴볼 수 있는 것도 첨언할 수 있다. 또한 이러한 과정에서 도시의 영향력도 볼 수 있다.

Ⅶ. 도시를 위협하는 전염병을 흑사병의 사례로 보다

도시를 위협하는 것 중에서 특히 현대에 가장 영향력이 강한 것은 전염병이다. 이는 도시가 밀집 생활을 하는 특성 때문에 한 번 전염병이 발병하면 도시는 쑥대밭이 되기 때문이다. 이러한 점에서 인류는 최근 코로나19 팬데믹을 겪으며 다시 한번 전염병이 만든 위험을 실감했다. 만물의 영장이라는 인간이 여전히 싸워서 우위를 점하지 못하는 것은 바로 세균과 바이러스다. 이러한 세균과 만드는 전염병은 인간 역사상 무수히 많은 사건을 빚어냈다.

1200년경 몽골은 세계를 정복하면서 그 세력이 상당했다. 칭기즈칸의 동맹과 그 세력의 확산은 대단했지만 반대로 흑사병을 함께 세계에 퍼트렸다. 한편 이러한 흑사병의 확산에 몽골이 투석기를 통해 감염자를 성안으로 던지는 생화학전을 한 것이 더욱 빠른 흑사병의 세계적 확산에 영향을 주기도 했다.

유럽 전역과 아시아에서 흑사병이 퍼지자, 문명은 그 기능을 정지했고 사람들은 미신에 휩싸여서 비굴해졌다. 도시 한복판에서는 눈 뜨고 볼 수 없는 각종 기행이 자행되고 공포에 사로잡힌 시민들이 자행하는 반지성주의에 입각한 행동은 오히려 흑사병을 더욱 도시에 퍼트리는 악순환이 이루어지게 되었다.

흑사병은 대륙에서 대륙으로 퍼졌다. 사상이 이 대륙에서 저 대륙으로 퍼지면서 전염병도 함께한 것이다. 이 당시에 인간은 오만하게도 세상 모든 것을 지배한다고 생각했지만 몽골 기병에 무임 승차한 흑사병이 퍼져 나가면서 그러한 생각은 뿌리째 흔들렸다.

계시록적 재앙이자 공포의 학살자로 불리던 흑사병은 시간이 지나자 사라졌다. 하지만 뒤이은 전염병의 습격은 인류가 그 시기의 공포로부터 배운 것들에 의해서 조금은 흑사병보다 이성적인 대처를 했다는 점에서 이 시기의 흑사병과 그 무질서한 대처 그리고 사람들의 공포심은 동방에서 온 어둠의 공포라고 불릴 만했다. 그리고 그 공포는 도시 전역을 집어삼켰다.

Ⅷ. 결론

도시를 만들 수 있는 문명은 고차원적이며 상당히 수준이 높다. 도시는 기본적으로 자족을 하고자 하지만 다른 지역에서 어느 정도 농산물과 자원을 공급받지 못하면 독립적으로 생존하기 어렵다.

그리고 이러한 것에는 반드시 상업이 필연적으로 성장하게 된다. 그리고 이러한 상업은 상학이라는 학문이 되었고 이것이 현재의 경영학이다.

다시 이 경영학 속에서 아시아지역학이 탄생하고 현재 이 책에서 아시아지역학적 관점에서 도시를 논하고 있으니, 역사의 아이러니이다.

한편 이러한 도시를 만든 대표적 고대 국가이자 아시아와 서구를 대표하는 한나라(진나라)와 로마제국을 여러 방면에서 깊이 있게 살펴보았다.

우리는 그들이 운영한 도시와 그 도시의 총체인 국가의 실패를 이해하고 또 용인에서 그들이 혹시 행한 실패의 씨앗을 발견한다면 과거의 결론에서 해결 방안을 도출하여 용인의 발전적 미래를 그리는 것에 상당한 자원으로 활용해 볼 수 있어 성공적인 도시 경영에 큰 도움을 주는 자발성도 발휘할 수 있을 것이다.

아시아지역학으로 보는 용인의 재발견

03
용인, 근대 도시를 만나다

Ⅰ. 머리말

인간이 도시를 만든 것은 상당히 오래되었으며 고대부터 도시란 것은 존재했다. 하지만 그 당시에, 도시에 사는 사람은 소수이며 특권 계급으로 여겨졌다.

이는 도시민이라는 것은 기본적으로 노동에서 해방된다는 독특한 의미가 있으므로 귀족과 같은 느낌으로 취급되는 경우가 일상다반사였다.

하지만 우리가 도시하면 기본적으로 근대를 떠올리는

것은 근대부터 누구나 도시에 살 수 있게 되었고 현재 인류처럼 다수의 사람이 자연스럽게 도시에 사는 시대를 맞이하여서이다.

그렇기에 우리는 도시를 알고자 한다면 반드시 근대에 대해 살펴보아야 한다. 이는 우리가 사는 도시는 고대로부터 탄생했지만, 근대에 혁명적인 대변혁을 여러 면에서 겪은 것이기 때문이다.

II. 도시 그리고 근대의 시작

중세를 거치면서 인류의 세계적 교류는 정치, 경제, 사회, 문화를 막론하고 크게 확대되었다. 문명은 더욱 정교해지고 새로운 문물이 탄생하면서 인간은 새로운 도전의 앞에 섰다. 혼란과 폭력 속에서 근대는 시작되었고 인간은 한 번도 가지 않은 길로 나아갔다.

비록 흑사병이 지나가고 세계는 그야말로 초토화된 황무지였다. 하지만 그러한 황무지와 같은 백지 속에서 인간은 온 힘을 다해서 재건하고 회복했다.

다시 실크로드가 열리고 동서 간의 교류는 활발해졌

으며 수많은 상인, 학자, 외교관이 그 길을 밟았다. 하지만 더 나은 항해술과 조선술은 더 이상 육로만이 아닌 바닷길을 통한 교류도 가능하게 했다.

광란의 발전은 유럽인이 신대륙을 발전하게 하고 르네상스로 인해 탄생한 인본주의적 사고가 발전하여 종교의 광기에서 벗어나게 하였다. 15세기 말이 되자 전 세계적 차원의 변화를 유럽인이 먼저 받아들였다.

그들은 동양의 진귀한 보물을 획득하고자 투쟁하고 더 멀리 뻗어나갔다. 이제 세계적으로 탐험과 대항해의 시대가 열렸으며 바야흐로 제국주의의 싹도 자라나면서 인류는 자의 반 타의 반으로 알 수 없는 새로운 시대를 맞이할 준비를 마치게 되었다.

III. 도시를 중심으로 하는 제국과 탐험 그리고 식민지

우리 모두의 생물학적 분류인 인류는 호기심을 가진 존재이다. 다른 유인원과 달리 나무에서 내려오는 선택을 하고 직립보행을 하고 손을 만들어낸 것도 모두 그러한 것에서 비롯된 것이다. 아프리카를 벗어나서 유라시아로 향하면서 끝내 전 세계로 퍼진 인류는 이제 신대륙을 발견하고 대항해의 길로 나아갔다.

하지만 이 길은 서양이 앞장섰다. 콜럼버스에 의해 신대륙이 발견되고 그곳의 진귀한 것들이 유럽에 알려지면서 너도나도 탐험에 나섰다. 중국도 명나라 정화의 대원정을 통해 항해에 관심을 가지지 않은 것은 아니나 내부의 여러 이유로 인해 일회성에 그쳤다.

한편 유럽인들은 자신들을 제외한 사람들이 대항해에 적극적으로 나서지 않았기에 사실상 그 내부에서 독점적으로 나설 수 있었으며 더 많은 식민지와 수탈할 대상을 몰두하면서 엄청난 욕망을 불려 나갔다. 도시는 언제나 환희와 노래가 가득했고 모든 것이 풍족했다. 하지만 그 서구 도시 시민들의 욕망 아래에는 비유럽인의 눈물로 가득했다.

IV. 도시가 맞이한 세계화의 여명

신대륙 발견 이후 남미에서 은 광산이 발견되자 대대적인 실버러시가 일어났다. 여기서 채굴된 은을 가지고 유럽이 중국의 물품을 사기 위한 대금으로 사용할 정도였다. 한편 신대륙에서 금 광산도 발견되면서 광란의 골드러시도 일어났다.

이제 유럽인은 새로운 성공을 위해 적극적으로 대서양을 건너 신대륙으로 항해 정착했고 폭력을 동원해서 원주민의 땅을 빼앗고 그들의 정착촌을 만들었다. 마치 지금 팔레스타인 땅에 이스라엘 유대인이 저지르는 짓을 그 당시에도 한 것이다.

이후에 미국이 탄생하는 신대륙과 유럽으로 대표되는 구대륙은 상호 긴밀히 소통하고 서로의 자원과 사람을 통해 살아갔다. 지금의 세계화 모델이 그 당시에 극초기 형태로 등장한 것이다.

이러한 과정에서 네덜란드는 튤립 투기가 성행하여 버블이 생기는 등 비록 무지몽매한 상태지만 초기 자본주의적 행태도 함께 태동하였다.

이러한 혼란 속에서 신대륙에도 서구에 의한 여러 도시가 탄생하는 등 거의 모든 대륙에서 근대적 도시가 자의 혹은 타의에 의해 탄생했다.

V. 자원과 지식을 둘러싼 도시의 투쟁

인간은 항상 새로운 한계에 도전하면서 새로운 자원과 지식을 구하기 위해 스스로 가진 한계의 벽을 밀고 나갔다. 17세기의 유럽은 이제 지구 전체를 대략 알게 되었다. 무한한 팽창과 영토 경쟁은 이제 서서히 지도 상의 빈칸이 사라지고 예정된 충돌만을 암시했다.

특히 도시는 기본적으로 다양한 자원이 필요하다. 하지만 그 도시 외부에서 획득해야 하는 자원들은 더 이상 유럽 대륙 내에서는 획득하기에 어려웠다. 이는 발전하는 도시와 부족한 자원이라는 두 명제가 더해지면서 자연스럽게 식민지라는 곳에서 얻어야 하는 결론을 누구나 낼 수 있을 정도이다.

한정된 자원과 영토를 두고 유럽인은 전 세계적으로 충돌했다. 그리고 그 과정에서 중국을 비롯한 비유럽은 그저 체스판의 말에 불과했으며 획득을 위한 대상에 불과했다. 그리고 그 충돌을 위해 지식은 과학 혁명이라는 이름으로 발전했다.

이러한 유럽의 상황에도 중국은 고요하게 깊이 잠든

사자처럼 깨어날 기미를 보이지 않았고 인도와 신대륙을 집어삼킨 유럽은 중국에도 눈독을 들였다.

VI. 도시가 만난 혁명의 시간

근대가 무르익고 유럽 전역에서는 산업 혁명이 일어나면서 자본주의적 양식으로 세상이 변모하였다. 하지만 봉건적 잔재가 여전히 남아 있어 마치 화약고처럼 불안한 시간의 연속이었다.

도시는 이제 고대 도시와 달리 특권층의 전유물이 아니며 모든 계급이 혼재된 장소였다. 하지만 변화된 시대상을 따라가지 못한 정치는 그러한 도시에서 자연스러운 계층 간의 갈등을 증폭시켰다. 특히 모여 사는 도시의 구조는 자연스럽게 혁명할 수 있게 하였다.

한편 신대륙에서는 '보스턴 차 사건'을 계기로 영국의 부당한 조세에 저항하고 독립하고자 하였다. 그리고 그 독립 혁명 끝에 미국이 탄생하였다.

영국에서도 명예혁명을 통해 왕권이 제한받고 정식 의회가 결성되었으며 입헌주의의 틀이 마련되는 등 변화가 시작되었다. 프랑스는 대혁명을 통해 왕이 타도되고 공화국으로 향했다.

선거권은 점차 확대되었지만, 노동자의 삶이 개선되지 않자, 마르크스가 주장한 공산주의를 신봉하는 자들에 의해 러시아 제국이 무너지고 소련이 건국되었다.

각자 이름은 다르지만, 급진적인 변혁을 통해 기성 체제를 뒤집자는 사람들이 모이면서 다양한 혁명이 전 지구적으로 이루어진 것이다.

한편 중국에서도 신해혁명을 통해 청나라가 막을 내렸으며 일본은 메이지유신을 통해 근대 국가로 나아갔다. 조선도 근대적 제국인 대한제국을 선포하였다.

이러한 혁명과 혁신적 변화는 모두 도시라는 공간 속에서 시발 되었으며 그러한 도시는 결코 그 영향력이 제한적이거나 작다고 아무도 말하지 않았다.

VII. 도시와 이민자의 공존과 갈등

근대 사회에서 민족의 개념이 형성되고 국민국가가 본격적으로 등장하면서, 우리는 해당 국가에 살고 있고 같은 정체성을 공유하며 유전적으로 연관성이 있는 사람들을 묶어서 민족으로 부르며 깊은 유대감을 가지게 되었다. 특히 도시는 이러한 영향 속에서 계층 간의 갈등을 줄이기 위해서라도 국민 국가가 필요했다.

어쩌면 그 이전에는 신분제로 인해 감히 같은 부류로 생각하지 못했으나, 신분제의 붕괴는 민족의식의 탄생으로 그 아노미를 없앨 수 있었다. 그리고 상당한 기간 우리는 서로 담을 쌓으며 내적 공동체에 깊은 관심을 가지고 외부의 공동체는 별다른 관심을 가지지 않았다.

그게 결국 국가 간의 차이이고 이민자에 대한 거리감의 근원이다. 특히 두 차례의 세계대전은 내부의 결속과 외부의 적대시를 더욱 심화시키며 이민자에 대한 차별을 정당화하는 근거가 되었다. 이는 이민자의 나라라고 불리지만 실질적으로는 WASP가 주도권을 행사하는 미국에서도 나타났다.

그러한 상황 속에서 세계화가 이루어진 현시점의 다문화주의와 활발한 이민은 과거의 관념들과 지속적인 충돌의 선봉장이 되면서 무수한 사회적 갈등을 주기적으로 일으킨다.

그 속에서 특히 한국처럼 비주류에 대한 차별이 심하고 소수의 문화적 관념을 가진 국가일수록 과거의 관념이 현재의 이민자를 직접 혹은 간접적으로 하여 여러 형식으로 그들을 공격한다.

예를 들어, 한국의 경우는 이민자에 대한 차별이 심각한 문제로 지적받고 있다. 한국은 단일민족국가라는 정체성에 기반한 민족주의가 강한 국가이기 때문에, 이민자를 배척하고 차별하는 경향이 있다.

이러한 경향은 한국 사회의 비주류에 대한 차별과도 맞물려, 이민자들이 더 큰 차별과 소외를 경험하게 되는 원인이 되고 있다.

중국도 이민자에 대한 차별이 심각한 문제이다. 중국은 최근 급격한 경제 성장으로 인해 많은 외국인 노동자가 유입되었지만, 이러한 외국인 노동자들은 중국 사회에서 차별과 불이익을 겪고 있다.

이러한 것이 인도에서도 제기되지만, 특히 중국의 경우는 이민자에 대한 차별이 경제적 이유와도 관련이 있는데, 중국 정부는 외국인 노동자를 저임금 노동자로 활용하기 위해 차별을 용인하고 있다는 지적이 있다.

이민자에 대해 반대할 수도 있고 찬성할 수도 있으나, 그 반대의 근거가 과거의 구습적 관념이나 편견에 입각한다면 그 설득력은 떨어진다고 할 수 있다. 현재의 반이민정서도 설득력이 부족한 면이 많다.

그러나 현실적으로 세계화가 가속되면서 인종이 섞이는 경우는 피할 수 없다. 과거 바다 민족의 사례에서 보듯 벽을 쌓고만 살 수도 없다. 그리고 인종이 섞이면 문화도 섞일 수밖에 없다. 이러한 전제 속에서 해결방안을 찾아야지 파시스트처럼 모든 이민자를 추방하자고 주장할 수는 없는 노릇이다.

물론 이민자에 대한 차별과 갈등을 완전히 해소하는 것은 쉽지 않다. 인간의 뇌리에 깊숙이 있는 관념은 사실 쉽게 해소하기 어렵기 때문이다.

그러나 현 상황을 인정하면서 사회 내부의 주류 문화를 인정하고 비주류에 대한 어떠한 형태의 폭력을 배제하면서 양 문화가 공존하는 사회적 모델을 제시하고 그것을 끌어낸다면 자연스럽게 민족주의와 이민자에 대한 문제는 해소될 것으로 기대된다.

Ⅷ. 기후 위기의 불평등 그리고 도시

현재 국제 사회에서 큰 화두는 지구 온난화이다. 이는 과거의 과학자를 비롯한 일부 집단에서 문제의식을 공유하던 것을 넘어 일반인까지 문제의식을 느끼게 된 것에서 비롯되었다.

도시에서도 지구 온난화와 그로 인해 비롯된 기후 위기는 결코 작은 문제로 다뤄지지 않으며 이에 대한 대응 방안을 마련하기 위해 고심하고 있다.

다수의 사람은 생업에 바쁘기에 어떠한 문제에 대해서 깊은 관심을 쏟을 시간을 확보하기 어렵다. 그런데 지구 온난화가 다수 대중에게 관심을 가지게 했다는 것은 대중이 피부로 문제를 느꼈다는 것이다.

이는 과거 소수에 의한 과장된 공포가 아닌 실체적 사실을 의미하므로 지구 온도의 상승과 그로 인한 피해가 상당하다고 할 수 있으며 인류의 생존을 위협하는 다양한 타격이 우리에게 오고 있다는 것이다.

한편 개발도상국 사례의 하나를 살펴보면 중국이 있다. 세계 최대의 탄소 배출국인 중국의 탄소 배출량은 전 세계의 약 30%를 차지한다.

그렇지만 중국은 최근 몇 년간 기후 변화 대응에 대한 노력을 강화하고 있다. 2060년까지 탄소 중립을 달성하겠다는 목표를 발표하고, 재생 에너지 개발에 투자하고 있다.

이러한 지구 온난화에 대한 각국의 대처와 그로 인한 후과(後果)는 각 국가에 따라 다르다. 특히 빈곤한 국가일수록 대처가 지지부진하고 피해는 함께 입게 된다. 이는 이번 코로나19 백신의 선진국 사재기가 결과적으로 종식을 늦췄다는 예시를 들 수 있다.

기후 불평등으로 불리는 이러한 문제에 대해 우리는 매우 다양한 연구 결과를 찾아볼 수 있었다. 우리 모두도 그러한 연구들에 대해 깊이 공감한다. 하지만 국제 사회는 선의에 의해 움직이는 것은 아니므로 단순히 선진국들에 호의를 바라는 것은 현실적이지 않다.

우리는 개발도상국의 기후 변화에 대한 대처에 선진국이 적극적으로 나서는 것이 이익임을 각인시켜야 한다. 그래야만 전 지구적으로 일어나는 온난화를 멈추고 다시 지구의 온도를 낮춰서 인류의 영구적인 평화와 안

녕을 기원할 수 있다.

결국 문제는 선진국의 설득과 동참을 유도하는 것이다. 하지만 이에 대해서 많은 논의가 있었지만, 확실히 어려운 실타래처럼 쉽사리 답이 나오지 못했다.

그러한 문제를 계속 곱씹으면서 우리는 이 문제에 있어 지구상의 모든 국가가 동참하고 선진국이 더 많이 참여할 수 있는 장을 만든다면 기후 불평등은 전 지구에서 자연스럽게 해소될 것이다.

IX. 결론

근대 이후 탄생한 도시는 현재의 도시와 거의 흡사하다. 이러한 도시는 긍정적인 측면도 있지만 해결해야 하는 부정적인 측면도 상당하다.

이러한 점에서 우리는 근대를 만난 도시를 여러 키워드를 통해 살펴보았고 각 키워드는 곱씹을 거리와 복잡성이 많은 어렵고 힘든 뜨거운 감자이다.

우리는 도시의 이러한 모습을 다시 한번 생각하면서 앞으로 살아가야 할 도시의 경영 방안도 찾을 수 있다.

04
용인과 함께한 연구

Ⅰ. 머리말

아시아지역학은 기본적으로 아시아와 함께해야 하는
것에 그 의미가 있다. 그러므로 지역 사회와 함께 작은
것부터 마음을 얻어야 긍정적으로 살아있는 학문이라고
할 수 있는 셈이다.

우리는 아시아지역학이 가장 활발하고 주위 아시아
국가들과 가장 많은 교류를 하는 용인에서 관련 연구를
했다. 근래의 용인은 중국, 인도와 깊은 교류를 하고 있

으며 특히 중국과의 교역과 관련 교류는 상당히 증가하고 관련 교육도 이뤄지고 있다.

이외에도 우리는 여러 연구 성과가 있었다. 민주당이 한국독립당을 계승한 것을 밝히거나 미얀마가 인도 분화권이며 사실상 인도와 비슷한 것을 밝힌 연구나 용인에서 죽전동의 위상과 분당 이상의 가치를 가진 지역인 것을 밝힌 것도 우리가 용인적 관점에서 연구하였기 때문에 독특한 발견을 이끌어낼 수 있었다.

이러한 점에서 우리는 용인에서 연구한 여러 성과를 이 지면을 통해 공유함으로써 용인의 아시아지역학 관심도를 더욱 증대하고자 한다.

II. 헌법 개정안 보완

우리는 이미 연구회 차원에서 제7공화국 헌법 개정안을 제시하고 한 번 수정한 적이 있다. 이러한 개정안에 대해 일부 보완이 필요하다는 주장이 있어 논의한 결과 아래와 같이 개정하기로 했다.

특히 용인은 근대적 헌법과 어느 정도 연관성이 있는

도시이므로 우리의 이러한 보완적 연구가 상당한 의미
가 있을 것으로 기대한다.

전문

우리는 3·1운동으로 건립된 대한민국임시정부의 법통과 불
의에 항거한 4·19혁명, 부마민주항쟁과 5·18민주화운동, 6·1
0민주항쟁의 민주이념을 계승하고, 법치주의와 공화주의에
기반한 자유롭고 평등한 민주사회의 실현을 기본 사명으로
삼아, 정의에 기초한 평화롭고 안전한 국가를 지향하며, 모
든 사람의 존엄과 자유를 최우선으로 보호하며, 인류애와 생
명 존중으로 행복한 공존을 추구하고, 세계 평화에 이바지할
것을 다짐하고, 자율과 조화를 바탕으로 사회정의와 자치·분
권을 실현하고, 인간 존중을 사회생활 전반에서 실천하고,
지구생태계와 자연환경의 보호에 힘쓰며, 모든 분야에서 지
속가능한 발전을 추구하고, 노동의 존엄성을 인식하며, 기회
균등의 원리로 복지국가로 나아가고, 미래세 대에 대한 우리
의 책임을 인식하며, 상호 연대하고 더불어사는 세상을 위해
앞으로 나갈 것을 다짐하면서 1948년 7월 12일에 제정되고

10차에 걸쳐 개정된 헌법을 이제 국회의 의결을 거쳐 국민 투표에 의하여 개정한다.

본문

제1장 총강

제1조 ① 인간의 존엄성은 소멸되거나 훼손될 수 없으며, 이를 존중하고 보호하며 인권국가를 지향하는 대한민국은 민주공화국이다.

② 대한민국은 인간의 보편적 인권을 인정하고 평화와 정의의 기초가 되는 인권을 확신하며, 인권이 모든 권력 위에 있음을 확인한다.

③ 대한민국의 모든 권력은 인권을 수호해야 하는 것을 기본적 책무로 삼는다.

④ 대한민국의 주권은 국민에게 있고, 모든 권력은 국민으로부터 나오며, 국민을 위하여 행사된다.

⑤ 대한민국은 지방분권국가이다.

⑥ 대한민국은 미래 세대에 대해 책임 있는 태도를 가져야 한다.

⑦ 대한민국은 대한제국의 불법적인 해산에 대해 인정하지 아니하며 대한제국의 국체를 정의롭게 계승하고 임시정부 수립을 통한 대한민국 건국에 따라 대한제국이 해산하고 대한민국으로 승계되었다고 본다.

제2조 ① 대한민국 국민의 자녀는 출생 시에 대한민국 국적을 취득하며, 그 밖에 대한민국 국민이 되는 요건과 절차에 관하여 필요한 사항은 법률로 정한다.

② 국가는 자의적으로 국민의 국적을 박탈하거나 국외로 추방할 수 없다.

③ 국가는 법률로 정하는 바에 따라 재외국민을 보호할 의무를 지며, 구체적인 사항은 법률로 정한다.

④ 한민족을 부 또는 모로 하여 출생한 사람과 그들의 후손은 헌법과 법률로 정하는 바에 따라 대한민국 국적을 취득할 수 있다.

제3조 ① 대한민국의 영역는 한반도와 그 부속도서(附屬島嶼)를 포함하는 영토, 영해, 영공으로 한다.

② 대한민국의 수도(首都)에 관한 사항은 법률로 정한다.

③ 대한민국의 국기는 태극기이다.

④ 대한민국의 국가는 애국가이다.

⑤ 대한민국의 국어는 한국어이다.

제4조 대한민국은 통일을 지향하며, 민주적 기본질서에 입각한 평화적 통일 정책을 수립하고 이를 추진한다.

제5조 ① 대한민국은 국제평화를 유지하기 위하여 노력하고 침략적 전쟁을 인정하지 않는다.
② 국군은 국가의 안전보장과 국토방위의 의무를 수행하는 것을 사명으로 하며, 국제평화 유지를 위해 공헌하며 정치적 중립성을 준수한다.
③ 군인은 대한민국 국민으로서 일반 국민과 동등하게 헌법상 보장된 권리를 가진다.
④ 군인은 재직 중은 물론 퇴직 후에도 군인의 직무상 공정성과 청렴성을 훼손해서는 안 된다.
⑤ 군인은 부당하거나 비인도적인 명령을 거부할 의무가 있다.

제6조 ① 헌법에 따라 체결·공포된 조약과 일반적으로 승인된 국제법규는 국내법과 같은 효력을 가진다.
② 외국인의 지위는 국제법과 조약으로 정하는 바에 따라 보장된다.

제7조 ① 공무원은 국민 전체에게 봉사하며, 국민에 대하여 책임을 진다.

② 공무원의 신분은 법률로 정하는 바에 따라 보장된다.

③ 공무원은 직무를 수행할 때 정치적 중립을 지켜야 한다.

④ 공무원은 재직 중은 물론 퇴직 후에도 공무원의 직무상 공정성과 청렴성을 훼손해서는 안 된다.

제8조 ① 정당은 정치적 자유의 표현이며 국민의 의사 형성 및 표명과 정치적 참여를 위한 기본적인 수단이다. 정당의 설립·조직 및 활동은 자유이며, 복수정당제는 보장된다.

② 정당의 목적·조직과 활동은 민주적이어야 한다.

③ 정당은 법률로 정하는 바에 따라 국가의 보호를 받으며, 국가는 소수자의 보호 등 정당한 목적과 공정 한 기준으로 법률로 정하는 바에 따라 정당운영에 필요한 자금을 보조할 수 있다.

④ 내각은 정당의 목적이나 활동이 민주적 기본질서에 위반될 때에는 대법원에 정당의 해산을 제소할 수 있고, 제소된 정당은 대법원의 심판에 따라 해산된다.

⑤ 대법원의 심판에 따라 해산되는 정당의 소속 공무원은 그 직을 상실한다.

제9조 국가는 문화의 자율성과 다양성을 증진하고, 전통문화를 창조적으로 계승하기 위하여 노력해야 한다.

제2장 기본적 권리와 의무

제10조 ① 모든 사람은 태어날 때부터 자유롭고 동등한 존엄과 가치를 가지며, 행복을 추구할 권리를 가진다. 국가는 개인이 가지는 불가침의 기본적 인권을 확인하고 보장할 의무를 진다.

② 모든 사람은 자유롭게 행동할 권리를 가진다.

제11조 ① 모든 사람은 법 앞에 평등하다. 누구도 성별·종교·장애·연령·인종·지역·언어·사상·재산·출생·피부색·성적지향·신체적 특성·사회적 신분·고용 형태 또는 기타의 신분을 이유로 정치적·경제적·사회적·문화적 생활을 비롯한 모든 영역에서 차별을 받아서는 안 된다.

② 국가는 실질적 평등을 실현하고, 현존하는 차별을 시정하기 위하여 적극적으로 조치한다.

③ 사회적 특수계급 제도는 인정되지 않으며, 어떠한 형태로

도 창설할 수 없다.

④ 훈장을 비롯한 영전(榮典)은 받은 자에게만 효력이 있고, 어떠한 특권도 따르지 않으며 계급창설의 수단으로 사용할 수 없다.

제12조 ① 모든 사람은 생명권을 가지며, 신체와 정신을 온전하게 유지할 권리를 가진다.

② 인간의 생명과 존엄은 최우선적으로 보장되어야 하며, 그 어떠한 것도 인간의 생명과 존엄보다 앞설 수 없다.

③ 모든 사람은 죽음을 강요받지 않는다.

④ 모든 사람은 품위 있게 죽을 권리가 있다.

⑤ 모든 사람은 노예가 될 수 없으며, 인신매매는 어떠한 경우에도 인정되지 않는다.

⑥ 모든 사람의 생명은 우열을 판단할 수 없다.

⑦ 인간복제나 비인도적인 인체실험은 할 수 없다.

⑧ 특정한 인종을 차별하거나 우대할 수 없다.

⑨ 사형제도는 어떠한 경우에도 인정되지 않는다.

제13조 ① 모든 사람은 신체의 자유를 가진다. 누구도 법률에 따르지 않고는 체포·구속·압수·수색 또는 심문을 받지 않으며, 법률과 적법한 절차에 따르지 않고는 처벌·보안처분

또는 강제노역을 받지 않는다.

② 누구나 고문이나 잔혹 행위를 당하지 않으며, 모멸적이거나 비인도적인 처우 또는 처벌을 받지 않는다.

③ 누구나 민·형사상 자기에게 불리한 진술을 강요당하지 않는다.

④ 체포·구속이나 압수·수색을 하려 할 때에는 적법한 절차에 따라 청구되고 법관이 발부한 영장을 제시해야 한다. 다만, 현행범인인 경우와 장기 5년 이상의 형에 해당하는 죄를 범하고 도피하거나 증거를 없앨 염려가 있는 경우 사후에 영장을 청구할 수 있다.

⑤ 모든 사람은 사법절차에서 변호인의 도움을 받을 권리를 가진다. 체포 또는 구속을 당한 경우에는 즉시 변호인의 도움을 받도록 하여야 한다. 국가는 형사피의자 또는 피고인이 스스로 변호인을 구할 수 없을 때에는 법률로 정하는 바에 따라 변호인을 선임하여 변호를 받도록 하여야 한다.

⑥ 체포나 구속의 이유, 변호인의 도움을 받을 권리와 자기에게 불리한 진술을 강요당하지 않을 권리가 있음을 고지받지 않고는 누구도 체포나 구속을 당하지 않는다. 체포나 구속을 당한 사람의 가족 등 법률로 정하는 사람에게는 그 이유와 일시·장소를 즉시 통지해야 한다.

⑦ 체포나 구속을 당한 사람은 법원에 그 적부(適否)의 심

사를 청구할 권리를 가진다.

⑧ 고문·폭행·협박·부당한 장기간의 구속 또는 기망(欺罔), 그 밖의 방법으로 말미암아 자의(自意)로 진술하지 않은 것으로 인정되는 피고인의 자백, 또는 정식 재판에서 자기에게 불리한 유일한 증거가 되는 피고인의 자백은 유죄의 증거로 삼을 수 없으며, 그런 자백을 이유로 처벌할 수도 없다.

⑨ 법률이 정하는 바에 따라 형사피고인이 변호인을 선임하지 못한 경우에는 재판할 수 없다.

제14조 ① 모든 사람은 행위 시의 법률에 따라 범죄를 구성하지 않는 행위로 소추되지 않으며, 동일한 범죄로 거듭 처벌받지 않는다.

② 모든 사람은 소급입법(遡及立法)으로 참정권을 제한받거나 재산권을 박탈당하지 않는다.

③ 모든 사람은 자기의 행위가 아닌 친족·지인의 행위로 불이익한 처우를 받지 않는다.

④ 모든 사람은 박해를 피하여 다른 나라에 비호(庇護)를 구하거나 받을 권리를 가진다.

⑤ 누구든지 고문 또는 잔혹하고 비인도적인 처우나 형벌을 받을 우려가 있는 국가에 송환되거나 인도되지 않는다.

⑥ 누구든지 사형을 받을 우려가 있는 국가에 특별한 사유가 없는 한 송환되거나 인도되지 않는다.

⑦ 국외에서 범죄를 저지른 사람이 제4항과 제5항에 해당한다면 해당 국가에 송환하거나 인도하지 않고 국내에서 처벌한다.

⑧ 국가는 국제법과 법률에 따라 난민을 보호한다.

⑨ 망명권은 관련 국제조약을 존중하여 법률로 정하는 바에 따라 보장되며 대한민국에 망명한 자는 기본적인 헌법상의 가치관에 동의해야 한다.

제15조 ① 모든 사람은 거주·이전의 자유를 가진다.

② 국가는 국민이 원활히 이동하기 위해 교통수단의 편의를 증진해야 한다.

제16조 ① 모든 사람은 직업의 자유를 가진다.

② 직업의 귀천(貴賤)은 인정되지 않는다.

제17조 ① 모든 사람은 사생활의 비밀과 자유를 침해받지 않는다.

② 모든 사람은 주거의 자유를 침해받지 않는다. 주거에 대한 압수나 수색을 하려 할 때는 적법한 절차에 따라 청구되

고 법관이 발부한 영장을 제시해야 한다.

③ 모든 사람은 통신의 비밀을 침해받지 않는다.

제18조 ① 모든 사람은 신앙과 양심의 자유 및 종교적·세계관적 신조의 자유를 침해되지 않는다.

② 종교 활동의 자유는 보장된다.

③ 국교는 인정되지 않으며 국가는 특정 종교를 우대할 수 없다.

④ 종교와 정치는 분리된다.

⑤ 모든 사람은 종교적 행위를 하거나 종교에 대한 교육을 받도록 강요되지 않는다.

⑥ 모든 사람은 자신의 양심에 반하여 무력을 사용하도록 강요되지 않는다. 자세한 사항은 법률로 정한다.

제19조 ① 모든 사람의 표현의 자유는 보장되며, 이에 대한 허가나 검열은 금지된다.

② 언론·출판의 기능을 보장하기 위하여 필요한 사항은 법률로 정한다.

③ 언론·출판은 타인의 권리를 침해해서는 안 된다. 언론·출판이 타인의 권리를 침해한 경우 피해자는 이에 대한 배상·정정을 청구할 수 있다.

제20조 ① 모든 사람은 연대할 권리를 가진다.

② 집회·결사의 자유는 보장되며, 이에 대한 허가는 금지된다.

③ 누구든지 의사에 반하여 집회·결사에 참여하도록 할 수 없다.

④ 국가는 소수자의 보호 등 정당한 목적과 공정한 기준으로 법률로 정하는 바에 따라 단체 운영에 필요한 자금을 보조할 수 있다.

제21조 ① 모든 사람은 알권리 및 정보접근권을 가진다.

② 모든 사람은 자신에 관한 정보를 보호받고 그 처리에 관하여 통제할 권리를 가진다.

③ 국가는 정보의 독점과 격차로 인한 폐해를 예방하고 시정하기 위하여 노력해야 한다.

④ 모든 사람은 정보문화향유권을 가진다.

⑤ 국가는 국민이 인터넷에 접속할 수 있도록 보장하여야 한다.

제22조 ① 모든 사람은 잊혀질 권리를 가진다.

② 모든 사람은 자신의 정보에 대해 법률이 정하는 바에 따

라 삭제를 요구할 수 있다.

제23조 ① 모든 사람은 학문과 예술의 자유를 가진다.
② 대학의 자치는 보장된다.
③ 저작자, 발명가, 과학기술자와 예술가의 권리는 법률로써 보호한다.
④ 모든 사람은 문화생활을 누릴 권리를 가진다.

제24조 ① 모든 사람의 재산권은 보장된다. 그 내용과 한계는 법률로 정한다.
② 재산권은 공공복리에 적합하도록 행사해야 한다.
③ 공공필요에 의한 재산권의 수용·사용 또는 제한 및 그 보상에 관한 사항은 법률로 정하되, 정당한 보상을 해야 한다.
④ 모든 사람은 소비자의 권리를 가진다.

제25조 ① 모든 국민은 선거권을 가진다. 선거권 행사의 요건과 절차 등 구체적인 사항은 법률로 정한다.
② 모든 국민은 자유롭게 선거운동을 할 수 있다. 다만, 정당후보자 간 공정한 기회를 보장하기 위하여 법률로 제한하는 경우에는 그러하지 아니하다.

③ 모든 국민은 국가에 의한 헌법적 질서의 중대한 위반 및 그 불법적 폐지에 대하여 다른 구제수단이 불가능할 때에는 이에 저항할 권리를 가진다.

제26조 모든 국민은 공무담임권을 가진다. 구체적인 사항은 법률로 정한다.

제27조 ① 모든 사람은 국가기관에 청원할 권리를 가진다. 구체적인 사항은 법률로 정한다.
② 국가는 청원을 수리하고 심사하여 그 결과를 청원인에게 통지하여야 한다.
③ 제1항의 권리를 행사했다는 이유로 어떠한 불이익도 받지 않는다.
④ 모든 사람은 공정하고 적법한 행정을 요구할 권리를 가진다.

제28조 ① 모든 사람은 헌법과 법률에 따라 법원의 재판을 받을 권리를 가진다.
② 모든 사람은 재판을 공정하고 신속하게 받을 권리를 가진다. 형사피고인은 타당한 이유가 없으면 지체 없이 공개재판을 받을 권리를 가진다.

③ 형사피고인은 유죄 판결이 확정될 때까지는 무죄로 추정한다.

④ 국가는 형사피고인이 재판받는 과정에서 유죄로 추정되어 불이익한 처분을 받지 않도록 할 의무를 진다.

⑤ 형사피고인이 유죄 판결이 확정될 때까지 언론·출판은 유죄로 추정하여 보도하거나 저술해서는 안된다.

⑥ 형사피해자는 법률로 정하는 바에 따라 해당 사건의 재판절차에서 진술할 수 있다.

⑦ 국가는 국민이 민사·행정·가사소송을 제기할 금전적 여력이 없으면 법률이 정하는 바에 따라 지원하여야 한다.

⑧ 모든 재판은 법률에 특별한 규정이 없는 한 3인 이상의 배심원단이 구성되어야 할 수 있다.

제29조 ① 국가는 형사피의자 또는 형사피고인으로서 구금되었던 사람이 법률이 정하는 불기소처분이나 무죄판결을 받은 경우 법률로 정하는 바에 따라 정당한 보상을 하여야 한다.

② 국가는 형사피의자 또는 형사피고인으로서 기소된 사람이 무죄판결을 받은 경우 명예를 회복하기 위해 최선을 다해야 한다.

제30조 공무원의 직무상 불법행위로 손해를 입은 국민은 법률로 정하는 바에 따라 국가 또는 공공단체에 정당한 배상을 청구할 수 있다. 이 경우 공무원 자신의 책임은 면제되지 않는다.

제31조 ① 타인의 범죄행위로 인하여 생명·신체 및 정신적 피해를 받은 국민은 법률로 정하는 바에 따라 국가로부터 구조 및 보호를 받을 권리를 가진다.
② 제1항의 법률은 피해자의 인권을 존중하도록 정하여야 한다.

제32조 ① 모든 사람은 능력과 적성에 따라 균등하게 교육을 받을 권리를 가진다.
② 모든 사람은 보호하는 자녀 또는 아동에게 적어도 초·중등교육과 법률로 정하는 교육을 받게 할 의무를 진다.
③ 의무교육은 무상으로 한다.
④ 교육의 자주성·전문성 및 정치적 중립성은 법률로 정하는 바에 따라 보장된다.
⑤ 국가는 평생교육을 진흥해야 한다.
⑥ 국가는 교육의 평등성을 지향해야 한다.
⑦ 학교교육·평생교육을 포함한 교육 제도와 그 운영, 교육

재정, 교원의 지위에 관한 기본 사항은 법률로 정한다.

제33조 ① 모든 사람은 일할 권리를 가지며, 국가는 고용의 안정과 증진을 위한 정책을 시행해야 한다.

② 국가는 노동의 신성함을 존중하고 이를 보호하여야 한다.

③ 국가는 적정임금을 보장하기 위하여 노력하며, 법률이 정하는 바에 따라 노동자와 그 가족의 품위 있는 생활을 보장할 수 있는 최저임금제를 시행하며, 동일한 가치의 노동에 대하여는 동일한 임금이 지급될 수 있도록 노력한다.

④ 노동자는 정당한 이유 없는 해고로부터 보호받을 권리를 가진다.

⑤ 노동조건은 노동자와 사용자가 동등한 지위에서 자유의사에 따라 결정하되, 그 기준은 인간의 존엄성을 보장하도록 법률로 정한다.

⑥ 모든 사람은 고용·임금 및 그 밖의 노동조건에서 임신·출산·육아 등으로 부당하게 차별을 받지 않으며, 국가는 이를 위한 정책을 시행해야 한다.

⑦ 사회적 약자의 노동은 특별한 보호를 받는다.

⑧ 국가는 국가유공자·상이군경 및 전몰군경(戰歿軍警)·의사자(義死者)의 유가족이 법률로 정하는 바에 따라 노동의 기회를 부여받을 수 있도록 노력해야 한다.

⑨ 국가는 모든 사람이 일과 생활을 균형 있게 영위할 수 있도록 정책을 실시해야 한다.

제34조 ① 노동지는 자주적인 단결권과 단체교섭권을 가진다.

② 노동자는 경제적, 사회적 지위 향상 및 노동조건의 유지·개선을 위하여 단체행동권을 가진다.

③ 노동자는 법률의 정하는 바에 의하여 기업 이익의 분배에 균점할 권리가 있다.

④ 노동자는 법률의 정하는 바에 의하여 기업 경영에 참여할 권리가 있다.

⑤ 노동자는 법률의 정하는 바에 의하여 기업에 청원 하고 정보를 제공받을 권리가 있다.

⑥ 노동조합의 설립·조직 및 활동은 자유롭고 민주적 이어야 한다.

⑦ 국가와 사용자는 노동조합을 탄압하거나 해산할 수 없으며, 운영에 개입할 수 없다.

⑧ 현역 군인과 공무원의 단결권, 단체교섭권과 단체행동권은 법률로 정하는 바에 따라 제한할 수 있다.

⑨ 현역 군인과 공무원은 누구든지 자신이 가입한 노동조합 또는 직능단체를 위한 활동을 이유로 법률이 정 하지 않은

직무상 처분을 받거나 불이익한 대우를 받지 않는다.

제35조 ① 모든 사람은 인간다운 생활을 할 권리를 가진다. 국가는 법률이 정하는 바에 따라 기본소득에 관한 시책을 강구해야 한다.

② 모든 국민은 장애·질병·노령·실업·빈곤 또는 기타 불가항력의 상황 등으로 초래되는 사회적 위험에서 벗어나 적정한 삶의 질을 유지할 수 있도록 사회보장을 받을 권리를 가진다.

③ 모든 국민은 임신·출산·양육과 관련하여 국가의 지원을 받을 권리를 가진다.

④ 모든 국민은 쾌적하고 안정적인 주거생활을 할 권리를 가진다. 국가는 법률이 정하는 바에 따라 국민이 수긍할 수 있는 주거를 제공해야 한다.

⑤ 모든 국민은 관계 법령에서 정하는 바에 따라 사회보장수급권을 가진다.

⑥ 모든 국민은 건강하게 살 권리를 가진다. 국가는 질병을 예방하고 보건의료 제도를 개선해야 한다.

⑦ 식생활은 사람이 살아가는데 기본적인 행복으로 국가는 다양한 식생활을 존중해야 한다.

⑧ 국가는 법률에 정하지 않는다면 특정 의복 착용을 강요

할 수 없다.

제36조 ① 어린이와 청소년은 독립된 인격주체로서 존중과 보호를 받을 권리기 있으며, 어린이와 청소년에 대한 모든 공적·사적 조치는 어린이와 청소년의 이익을 우선적으로 고려해야 한다.

② 어린이와 청소년은 자유롭게 의사를 표현하며, 자신에게 영향을 주는 결정에 참여할 권리를 가진다.

③ 어린이와 청소년은 차별받지 아니하며, 부모와 가족 그리고 사회공동체 및 국가의 보살핌을 받을 권리를 가진다.

④ 어린이와 청소년은 모든 형태의 학대와 방임, 폭력과 착취로부터 보호받으며 적절한 휴식과 여가를 누릴 권리를 가진다.

⑤ 노인은 존엄한 삶을 누리고 정치적·경제적·사회적·문화적 생활에 참여할 권리를 가진다.

⑥ 장애인은 존엄하고 자립적인 삶을 누리며, 모든 영역에서 동등한 기회를 얻고 참여할 권리를 가진다.

⑦ 국가는 장애를 가진 사람에게 법률에 따라 자신이 가진 능력을 최대한으로 개발하고 경제활동이 가능하도록 적극적으로 지원해야 한다.

⑧ 국가는 장애를 가진 사람들의 사회적 통합을 추구하며

사회참여를 보장하여야 한다.

⑨ 국가는 고용, 노동, 복지, 재정 등 모든 영역에서 성평등을 보장해야 한다.

제37조 ① 모든 사람은 안전할 권리를 가진다.

② 모든 사람은 안전한 사회를 만들기 위해 참여할 권리를 가진다.

③ 모든 사람은 재난을 초래한 환경과 이유를 포함한 진실에 대해 알권리를 가진다.

④ 재난으로 인해 손해를 입은 사람은 보호받을 권리 가 있으며, 국가는 법률이 정하는 바에 따라 사과와 배상을 받을 수 있도록 지원해야 한다.

⑤ 누구든지 재난으로 생명을 잃은 사람을 충분히 애도할 권리를 가지며, 손해를 입은 사람의 아픔에 동참하고 정의를 위해 행동할 권리를 가진다.

⑥ 국가와 국민은 재난 및 모든 형태의 폭력에 의한 피해를 예방하고, 그 위험으로부터 사람을 보호해야 한다.

⑦ 국가는 모든 역량을 동원하여 재난에 처한 사람을 구조하고 이들의 안전을 확보하기 위해 최선을 다해야 하며, 구조에 있어서 그 어떤 차별도 있어서는 안 된다.

⑧ 국가는 필요할 경우 법률이 정하는 바에 따라 재난이 해

결되는 전 과정을 기록해야 한다.

⑨ 국가는 유사한 재난이 반복되지 않도록 노력해야 한다.

제38조 ① 모든 사람은 건강하고 쾌적한 환경에서 생활할 권리를 가진다. 구체적인 내용은 법률로 정한다.

② 국가는 모든 생명체의 소중함을 인식하고 필요한 보호 정책을 시행해야 한다.

③ 국가는 기후변화에 대처하고, 에너지의 생산과 소비의 정의를 위해 노력하여야 한다.

④ 국가는 지구생태계와 미래세대에 대한 책임을 지고, 환경을 지속가능하게 보전하여야 한다.

⑤ 모든 국민은 자연을 보호해야 할 의무가 있다.

제39조 ① 혼인과 가족생활은 개인의 존엄과 평등을 바탕으로 성립되고 유지되어야 하며, 국가는 이를 보장 한다.

② 혼인과 가족생활의 형태에 따라 차별할 수 없다.

③ 누구든지 혼인하거나 하지 않을 것을 강요받지 않는다.

④ 혼인이 가능한 연령은 법률로 정한다.

⑤ 근친혼은 인정되지 아니한다.

⑥ 중혼은 인정되지 아니한다.

⑦ 인간 이외의 대상과는 혼인할 수 없다.

⑧ 인간 이외의 대상과는 가족관계를 구성할 수 없다.

제40조 ① 자유와 권리는 헌법에 구체적으로 열거되지 않았다는 이유로 경시되지 않는다.
② 모든 자유와 권리는 국가안전보장 혹은 공공복리를 위하여 필요한 경우에만 법률로써 제한할 수 있으며, 제한하는 경우에도 자유와 권리의 본질적인 내용을 침해할 수 없다.
③ 국가안전보장 혹은 공공복리를 위하여 자유와 권리를 제한할 경우 법률에 따라 보상해야 한다.

제41조 ① 모든 사람은 법률로 정하는 바에 따라 납세의 의무를 진다.
② 국가는 납세의 의무를 이행하는 사람이 불이익한 처우를 받지 않도록 하여야 한다.

제42조 ① 모든 국민은 법률로 정하는 바에 따라 국방의 의무를 진다.
② 국가는 국방의 의무를 이행하는 국민의 인권을 보장하기 위한 정책을 시행해야 한다.
③ 국가는 국방의 의무를 이행하는 국민에게 적정한 보상을 하여야 한다.

④ 국가는 국방의 의무를 이행하는 국민이 불이익한 처우를 받지 않도록 하여야 한다.

⑤ 누구든지 양심에 반하여 병역을 강제 받지 아니하고, 법률이 정하는 바에 의히어 대체복무를 할 수 있다.

제3장 대통령

제43조 ① 대통령은 국가를 대표한다.

② 대통령은 국가의 독립과 계속성을 유지하고, 영토를 보존하며, 헌법을 수호할 책임과 의무를 진다.

③ 부통령은 대통령을 보좌한다.

제44조 ① 대통령과 부통령은 국민의 보통·평등·직접·비밀선거에 의하여 선출한다.

② 제1항의 선거에 있어서 최고득표자가 2인 이상인 때에는 국회의 재적의원 과반수가 출석한 공개회의에서 다수표를 얻은 자를 당선자로 한다.

③ 대통령 혹은 부통령 후보자가 한 명이면 그 득표수가 선거권자 총수의 3분의 1 이상이 아니면 당선될 수 없다.

④ 대통령 혹은 부통령으로 선거될 수 있는 사람은 대한민

국 태생이고 국회의원의 피선거권이 있어야 한다.
⑤ 대통령과 부통령 선거에 관한 사항은 법률로 정한다.

제45조 ① 대통령 혹은 부통령의 임기가 만료되는 경우 임기만료 70일 전부터 40일 전 사이에 후임자를 선거한다.
② 대통령 혹은 부통령이 궐위(闕位)된 경우 또는 당선자가 사망 하거나 판결, 그 밖의 사유로 그 자격을 상실한 경우 60일 이내에 후임자를 선거한다.
③ 결선투표는 제1항 및 제2항에 따른 첫 선거일부터 14일 이내에 실시한다.

제46조 대통령은 취임에 즈음하여 다음의 선서를 한다.
"나는 헌법을 준수하고 인권을 존중하며 국가를 지키고 국민의 자유와 복리의 증진 및 문화 융성에 노력하여 대통령으로서 맡은 직책을 성실히 수행할 것을 국민 앞에 엄숙히 선서합니다."

제47조 ① 대통령과 부통령의 임기는 4년으로 한다.
② 대통령과 부통령이 궐위된 경우의 후임자는 전임자의 잔임기간만 재임한다.
③ 대통령과 부통령은 1차에 한하여 중임할 수 있다.

제48조 ① 대통령이 궐위되거나 질병·사고 등으로 직무를 수행할 수 없는 경우 부통령, 국회의장, 국무총리, 대법원장 순으로 대행한다.

② 부통령이 궐위되거나 질병·사고 등으로 직무를 수행할 수 없는 경우 국회의장, 국무총리, 대법원장 순으로 대행한다.

③ 대통령 혹은 부통령이 사임하려고 하거나 질병·사고 등으로 직무를 수행할 수 없는 경우 대통령 혹은 부통령은 그 사정을 제1항에 따라 권한대행을 할 사람에게 서면으로 미리 통보해야 한다.

④ 제2항의 서면 통보가 없는 경우 권한대행의 개시 여부에 대한 최종적인 판단은 국무총리가 국무회의의 심의를 거쳐 대법원에 신청하여 그 결정에 따른다.

⑤ 권한대행의 지위는 대통령 혹은 부통령이 복귀 의사를 서면으로 통보한 때에 종료된다. 다만, 복귀한 대통령 혹은 부통령의 직무 수행 가능 여부에 대한 다툼이 있을 때에는 대법원에 신청하여 그 결정에 따른다.

⑥ 제1항에 따라 대통령 혹은 부통령의 권한을 대행하는 사람은 그 직을 유지하는 한 대통령 혹은 부통령 선거에 입후보할 수 없다.

⑦ 대통령 혹은 부통령의 권한대행에 관하여 필요한 사항은 법률로 정한다.

제49조 대통령은 국무회의 의결에 따라 조약을 체결·비준하고, 외교사절을 신임·접수 또는 파견하며, 선전포고와 강화를 한다.

제50조 ① 대통령은 헌법과 법률로 정하는 바에 따라 내각의 조언을 통해 국군을 통수한다.
② 국군의 조직과 편성은 법률로 정한다.

제51조 ① 대통령은 내우외환, 천재지변 또는 중대한 재정, 경제상의 위기에 국가의 안전보장이나 공공의 질서를 유지하기 위하여 긴급한 조치가 필요하고 국회의 집회를 기다릴 여유가 없을 때에만 최소한으로 필요한 재정·경제상의 처분을 하거나 이에 관하여 법률의 효력을 가지는 명령을 국무회의 의결에 따라 발할 수 있다.
② 대통령은 국가의 안위에 관계되는 중대한 교전 상태에서 국가를 보위하기 위하여 긴급한 조치가 필요함 에도 국회의 집회가 불가능한 경우에만 법률의 효력을 가지는 명령을 국무회의 의결에 따라 발할 수 있다.

③ 대통령은 제1항과 제2항의 처분이나 명령을 한 경우 지체 없이 국회에 보고하여 승인을 받아야 한다.

④ 제3항의 승인을 받지 못한 때에는 그 처분이나 명령은 즉시 효력을 상실한다. 이 경우 그 명령에 따라 개정되었거나 폐지되었던 법률은 그 명령이 승인을 받지 못한 때부터 당연히 효력을 회복한다.

⑤ 대통령은 제3항과 제4항의 사유를 지체 없이 공포해야 한다.

제52조 ① 대통령은 전시·사변 또는 이에 준하는 국가 비상 사태에 병력으로써 군사상의 필요에 응하거나 공공 의 안녕질서를 유지할 필요가 있을 때에는 법률로 정하는 바와 국무회의 의결에 따라 계엄을 선포할 수 있다.

② 계엄이 선포된 경우 법률로 정하는 바에 따라 영장제도, 언론·출판·집회·결사의 자유, 정부나 법원의 권한에 관하여 특별한 조치를 할 수 있다.

③ 계엄을 선포한 경우 대통령은 지체 없이 국회에 통고해야 한다.

④ 계엄이 선포되면 국회는 즉시 소집되며 이를 방해할 수 없다.

⑤ 국회가 재적의원 과반수의 찬성으로 계엄의 해제를 요구

하면 대통령은 계엄을 해제해야 한다.

제53조 ① 대통령은 법률로 정하는 바와 국무회의 의결에 따라 사면·감형 또는 복권을 명할 수 있다.
② 사면을 명하려면 국회의 동의를 받아야 한다.
③ 사면·감형과 복권에 관한 사항은 법률로 정한다.

제54조 대통령은 헌법과 법률의 정하는 바에 따라 공무원의 임면을 확인한다.

제55조 대통령은 법률로 정하는 바와 국무회의 의결에 따라 훈장을 비롯한 영전을 수여한다.

제56조 대통령과 부통령은 헌법과 법률이 정하는 바에 따라 국회에 출석하여 발언하거나 문서로 의견을 표시할 수 있다.

제57조 대통령과 부통령의 국법상 행위는 문서로써 한다.

제58조 대통령과 부통령은 국회의원, 법관, 그 밖에 법률로 정하는 공사(公私)의 직을 겸할 수 없다.

제59조 대통령과 부통령은 내란 또는 외환의 죄를 범한 경우를 제외하고는 재직 중 형사상의 소추를 받지 않는다.

제60조 전직 대통령과 부통령의 신분과 예우에 관한 사항은 법률로 정한다.

제4장 국회

제61조 입법권은 국회에 있다.

제62조 ① 국회는 국민이 보통·평등·직접·비밀선거로 선출한 국회의원으로 구성한다.
② 국회의원의 수는 법률로 정하되, 300명 이상으로 한다.
③ 국회의원의 선거구와 비례대표제, 그 밖에 선거에 관한 사항은 법률로 정한다.

제63조 ① 국회의원의 임기는 4년으로 한다. 단, 국회가 해산된 때에는 그 임기는 해산과 동시에 종료한다.
② 국무총리가 국회해산을 통보할 경우 통보일로부터 40일 후에 국회가 해산된다.

③ 제2항에 따라 선거를 할 경우 통보일로부터 30일 이내에 선거를 해야 한다.

④ 제2항에 따라 선거를 할 경우 국회의원의 임기는 해산된 국회의 잔임기간으로 한다.

⑤ 국회의원의 임기가 100일 이내로 남아있을 경우 국회는 해산되지 않는다.

⑥ 국민은 국회의원을 소환할 수 있다. 소환의 요건과 절차 등 구체적인 사항은 법률로 정한다.

⑦ 국무총리가 국회해산을 통보한 경우 국회는 국무총리의 동의 없이 법률안을 제정하거나 개정할 수 없다.

제64조 국회의원은 법률로 정하는 직(職)을 겸할 수 없다.

제65조 ① 국회의원은 현행범인인 경우를 제외하고는 국회의 동의 없이 체포되거나 구금되지 않는다.

② 국회의원이 체포되거나 구금된 경우 국회의 요구 가 있으면 석방된다.

③ 국회의장은 재적의원 4분의 3 이상의 동의 없이 는 어떠한 경우에도 체포되거나 구금되지 않는다.

제66조 국회의원은 국회에서 직무상 발언하거나 표결한 것

에 관하여 국회 밖에서 책임을 지지 않는다.

제67조 ① 국회의원은 청렴해야 할 의무를 진다.
② 국회의원은 국가이익을 우선하여 양심에 따라 직무를 수행한다.
③ 국회의원은 그 지위를 남용하여 국가·공공단체 또는 기업체와의 계약이나 그 처분에 따라 재산상의 권리·이익 또는 직위를 취득하거나 타인을 위하여 그 취득을 알선할 수 없다.

제68조 국회는 의장 1명과 부의장 1명을 선출한다.

제69조 국회는 헌법 또는 법률에 특별한 규정이 없으면 재적의원 과반수의 출석과 출석의원 과반수의 찬성으로 의결한다. 가부동수일 때에는 의장이 결정한다.

제70조 ① 국회의 회의는 공개한다. 다만, 출석의원 과반수의 찬성이 있거나 국회의장이 국가의 안전보장을 위하여 필요하다고 인정할 때에는 공개하지 않을 수 있다.
② 공개하지 않은 회의 내용의 공표에 관하여는 법률로 정한다.

제71조 ① 국회의원과 국민은 법률안을 제출할 수 있다.

② 법률안이 지방자치와 관련되는 경우 국회의장은 지방의회에 이를 통보해야 하며, 해당 지방의회는 그 법률안에 대하여 의견을 제시할 수 있다. 구체적인 사항은 법률로 정한다.

③ 국민의 법률안 제출의 요건과 절차 등 구체적인 사항은 법률로 정한다.

제72조 ① 국회에서 의결된 법률안은 내각에 이송된 날부터 10일 이내에 대통령이 공포한다.

② 법률은 특별한 규정이 없으면 공포한 날부터 10일이 지나면 효력이 생긴다.

제73조 ① 국회는 내각을 불신임할 수 있다.

② 제1항에 따라 불신임하려면 국회 재적의원 3분의 1 이상이 발의하고 국회 재적의원 과반수가 찬성해야 한다.

③ 국무총리가 속한 정당의 국회의원은 불신임안을 발의하거나 찬성할 수 없다.

④ 제1항에 따라 불신임안이 발의되면 국무총리가 속한 정당의 국회의원은 불신임안에 반대한 것으로 간주한다.

⑤ 국무총리가 속하지 아니하고 국무부총리나 국무위원이 속한 정당의 국회의원이 불신임안을 발의하거나 찬성하려면 국무부총리나 국무위원을 정당에서 제명하거나 그 직을 사임시켜야 하며 이를 하지 않는 경우 제1항에 따라 반대한 것으로 간주한다.

제74조 ① 국회는 국가의 예산안을 심의하여 예산법률로 확정한다.

② 내각은 회계연도마다 예산안을 편성하여 회계연도 개시 100일 전까지 국회에 제출하고, 국회는 회계연도 개시 30일 전까지 예산법률안을 의결해야 한다.

③ 새로운 회계연도가 개시될 때까지 예산법률이 효력을 발생하지 못한 경우 내각은 예산법률이 효력을 발생할 때까지 다음의 목적을 위한 경비를 전년도 예산법률에 준하여 집행할 수 있다.

1. 헌법이나 법률에 따라 설치한 기관이나 시설의 유 지·운영

2. 법률로 정하는 지출 의무의 실행

3. 이미 예산법률로 승인된 사업의 계속

④ 예산안의 심의와 예산법률안의 의결 등에 필요한 사항은 법률로 정한다.

제75조 ① 한 회계연도를 넘어 계속하여 지출할 필요가 있는 경우 내각은 연한(年限)을 정하여 계속비로서 국회의 의결을 거쳐야 한다.

② 예비비는 총액으로 국회의 의결을 거쳐야 한다. 예비비의 지출은 차기 국회의 승인을 받아야 한다.

제76조 내각은 예산법률을 개정할 필요가 있는 경우 추가경정예산안을 편성하여 국회에 제출할 수 있다.

제77조 국채를 모집하거나 예산법률 외에 국가의 부담이 될 계약을 맺으려면 내각은 미리 국회의 의결을 거쳐야 한다.

제78조 조세의 종목과 세율은 법률로 정한다.

제79조 ① 국회는 다음 조약의 체결·비준에 대한 동의권을 가진다.

1. 상호원조나 안전보장에 관한 조약
2. 중요한 국제조직에 관한 조약
3. 우호통상항해조약
4. 주권의 제약에 관한 조약

5. 강화조약(講和條約)

6. 국가나 국민에게 중대한 재정 부담을 지우는 조약

7. 입법사항에 관한 조약

8. 그 밖에 법률로 정하는 조약

② 국회는 선전포고, 국군의 외국 파견 또는 외국 군대의 대한민국 영역 내 주류(駐留)에 대한 동의권을 가진다.

제80조 ① 국회는 국정을 감사하거나 특정한 국정사 안에 대하여 조사할 수 있으며, 이에 필요한 서류의 제출, 증인의 출석, 증언, 의견의 진술을 요구할 수 있다.

② 국정감사와 국정조사의 절차, 그 밖에 필요한 사 항은 법률로 정한다.

제81조 ① 국무총리, 국무부총리, 국무위원, 정부위원은 국회나 그 위원회에 출석하여 국정 처리 상황을 보고하거나 의견을 진술하고 질문에 응답할 수 있다.

② 국회나 그 위원회에서 요구하면 국무총리, 국무부 총리, 국무위원, 정부위원은 출석하여 답변해야 한다. 다만, 국무총리, 국무부총리, 국무위원이 출석 요구를 받은 경우 국무부총리, 국무위원, 정부위원이 출석·답변하게 할 수 있다.

제82조 ① 국회는 대법원장, 부대법원장, 대법관을 해임할 수 있다.

② 제1항에 따라 해임하려면 국회 재적의원 과반수가 발의하고 국회 재적의원 3분의 2 이상이 찬성해야 한다.

제83조 ① 국회는 법률에 위반되지 않는 범위에서 의사와 내부 규율에 관한 규칙을 제정할 수 있다.

② 국회는 국회의원의 자격을 심사하며, 국회의원을 징계할 수 있다.

③ 국회의원을 제명하려면 국회 재적의원 4분의 3 이상이 찬성해야 한다.

④ 제2항과 제3항의 처분에 대해서는 법원에 제소할 수 없다.

제84조 ① 대통령, 부통령, 기타 법률이 정한 공무원이 직무를 집행하면서 헌법이나 법률을 위반한 경우 국회는 탄핵의 소추를 의결할 수 있다.

② 제1항의 탄핵소추를 하려면 국회 재적의원 3분의 1 이상 또는 국회의원 선거권자 10분의 1 이상의 찬성으로 발의하고 국회 재적의원 과반수가 찬성해야 한다. 다만, 대통령과 부통령에 대한 탄핵소추는 국회 재적의원 과반수 또는 국회

의원 선거권자 10분의 2 이상의 찬성으로 발의하고 국회 재적의원 3분의 2 이상이 찬성해야 한다.

③ 탄핵소추의 의결을 받은 사람은 탄핵심판이 있을 때까지 권한을 행사하지 못한다.

④ 탄핵결정은 공직에서 파면하는 데 그친다. 그러나 파면되더라도 민사상 또는 형사상 책임이 면제되지는 않는다.

제85조 국가의 세입·세출의 결산, 국가·지방정부 및 법률로 정하는 단체의 회계검사, 법률로 정하는 국가·지방정부의 기관 및 공무원의 직무에 관한 감찰을 하기 위하여 국회 산하에 감사원을 둔다.

제86조 ① 감사원은 원장을 포함한 9명의 감사위원으로 구성하며, 감사위원은 국회의장이 임명한다.

② 제1항에 따라 감사위원을 임명하려면 국회 재적의원 과반수가 발의하고 국회 재적의원 3분의 2 이상이 찬성해야 한다.

③ 감사원장과 감사위원의 임기는 4년으로 한다. 다만, 감사위원으로 재직 중인 사람이 감사원장으로 임명되는 경우 그 임기는 감사위원 임기의 남은 기간으로 한다.

④ 감사위원은 정당에 가입하거나 정치에 관여할 수 없다.

⑤ 감사위원을 해임하려면 국회 재적의원 과반수가 발의하고 국회 재적의원 3분의 2 이상이 찬성해야 한다.

제87조 감사원은 세입·세출의 결산을 매년 검사하여 다음 연도 국회에 그 결과를 보고해야 한다.

제88조 ① 감사원은 법률에 위반되지 않는 범위에서 감사에 관한 절차, 감사원의 내부 규율과 감사사무 처리에 관한 규칙을 제정할 수 있다.
② 감사원의 조직, 직무 범위, 감사위원의 자격, 감사 대상 공무원의 범위, 그 밖에 필요한 사항은 법률로 정 한다.

제5장 정부

제1절 내각

제89조 ① 행정권은 국무총리를 수반으로 하는 내각에 있다.
② 국무총리는 국회의원 중에서 국회 재적의원 과반수의 동의를 얻어 선출한다.
③ 국무총리가 사고로 인하여 직무를 수행할 수 없을 때에

는 국무부총리와 법률의 정하는 순서에 따라 국무위원이 그 권한을 대행한다.

④ 국무총리가 국회의원의 직위를 상실할 경우 퇴직 된다.

제90조 ① 국무부총리와 국무위원은 국회의원 중에서 국무총리가 지명하여 대통령이 임명한다.

② 국무부총리는 국정에 관하여 국무총리를 보좌한다.

③ 국무위원은 국무회의의 구성원으로서 국정을 심의 한다.

④ 국무부총리와 국무위원이 국회의원의 직위를 상실할 경우 퇴직된다.

제91조 국무총리는 필요하다고 인정할 경우 국가 안위에 관한 중요 정책을 국민투표에 부칠 수 있다.

제92조 국무총리는 법률에서 구체적으로 범위를 정하여 위임받은 사항과 법률을 집행하는 데 필요한 사항에 관하여 국무총리령을 발(發)할 수 있다.

제93조 국무총리는 헌법과 법률로 정하는 바에 따라 공무원을 임면(任免)한다.

제94조 ① 국무총리는 국회가 내각을 불신임한 경우 국회를 해산할 수 있다.

② 제1항에 따라 국회해산을 결의하지 않는 한 내각은 10일 이내에 총사퇴해야 한다.

③ 국무총리는 국회가 내각을 불신임하지 않으면 국회를 해산할 수 없다.

제2절 국무회의와 국가자치분권회의

제95조 ① 국무회의는 내각의 권한에 속하는 중요한 정책을 심의한다.

② 국무회의는 국무총리와 15명 이상 30명 이하의 국무위원으로 구성한다.

③ 국무총리는 국무회의의 의장이 되고, 국무부총리는 부의장이 된다.

제96조 다음 사항은 국무회의의 심의를 거쳐야 한다.

1. 국정의 기본계획과 내각의 일반 정책
2. 선전(宣戰), 강화, 그 밖에 중요한 대외 정책
3. 헌법 개정안, 국민투표안, 조약안, 국무총리령안
4. 국회해산에 관한 사항

5. 내각 총사퇴에 관한 사항

6. 예산안, 결산, 국유재산 처분의 기본계획, 국가에 부담이 될 계약, 그 밖에 재정에 관한 중요 사항

7. 긴급명령, 긴급재정경제치분 및 명령, 계엄의 선포와 해제

8. 군사에 관한 중요 사항

9. 영전 수여

10. 사면·감형과 복권

11. 행정각부 간의 권한 획정

12. 내각 안의 권한 위임 또는 배정에 관한 기본계획

13. 국정 처리 상황의 평가·분석

14. 행정각부의 중요 정책 수립과 조정

15. 정당 해산의 제소

16. 내각에 제출되거나 회부된 내각 정책에 관계되는 청원의 심사

17. 합동참모의장·각군참모총장·국립대학교총장·대사 기타 법률로 정한 공무원과 국영기업체 관리자의 임명

18. 사립대학교총장직무대행의 임명

19. 사립대학교에 임시 이사 파견 결정

20. 그 밖에 국무총리나 국무위원이 제출한 사항

제97조 ① 중앙정부와 지방정부 간 협력을 추진하고 지방자

치와 지방 간 균형 발전에 관련되는 중요 정책을 심의하기 위하여 국가자치분권회의를 둔다.

② 국가자치분권회의는 국무총리, 국무부총리와 지방 행정부의 장으로 구성한다.

③ 국무총리는 국가자치분권회의의 의장이 되고, 국무부총리는 부의장이 된다.

④ 국가자치분권회의의 조직과 운영 등 구체적인 사 항은 법률로 정한다.

제3절 행정각부

제98조 행정각부의 장은 국무총리의 제청으로 대통령이 임명한다.

제99조 국무총리 또는 행정각부의 장은 소관 사무에 관하여 법률이나 국무총리령의 위임 또는 직권으로 총리령 또는 부령을 발할 수 있다.

제100조 행정각부의 설치·조직과 직무 범위는 법률로 정한다.

제6장 법원

제101조 ① 사법권은 법관으로 구성된 법원에 있다. 국민은 법률로 정하는 바에 따라 배심원 또는 그 밖의 방법으로 재판에 참여할 수 있다.

② 법원은 최고법원인 대법원과 지방법원으로 조직한다.

③ 법관의 자격은 법률로 정한다.

④ 모든 법관은 임용시 국회의 동의를 받아야 한다.

⑤ 법관은 법률에 따라 선거할 수 있다.

제102조 ① 대법원에 일반재판부와 전문재판부를 둘 수 있다.

② 대법원에 대법관을 둔다. 다만, 법률로 정하는 바에 따라 대법관이 아닌 법관을 둘 수 있다.

③ 대법원과 지방법원의 조직은 법률로 정한다.

제103조 법관은 헌법과 법률에 의하여 그 양심에 따라 독립하여 공정하게 심판한다.

제104조 ① 대법원장, 부대법원장, 대법관은 법관인 자 중에

서 국회 재적의원 3분의 2 이상의 동의를 얻어 선출한다.

② 제1항의 관하여 필요한 사항은 법률로써 정한다.

제105조 ① 대법원장의 임기는 4년으로 하며, 연임할 수 없다.

② 부대법원장과 대법관의 임기는 4년으로 하며, 연임할 수 있다.

③ 대법원장, 부대법원장, 대법관이 궐위된 경우의 후임자는 전임자의 잔임기간 동안 재임한다.

④ 법관의 정년은 법률로 정한다.

제106조 ① 법관은 국회 혹은 지방의회의 의결을 통한 해임 혹은 국민 심사에서 의하거나 금고 이상의 형을 선고받지 않고는 파면되지 않으며, 징계처분에 의하지 않고는 해임, 정직, 감봉, 그 밖의 불리한 처분을 받지 않는다.

② 법관이 중대한 심신상의 장해로 직무를 수행할 수 없을 때는 법률로 정하는 바에 따라 퇴직하게 할 수 있다.

③ 국민은 법관을 소환할 수 있다. 소환의 요건과 절차 등 구체적인 사항은 법률로 정한다.

④ 제3항에 따라 소환을 받은 법관은 결과를 공표할 때까지 권한을 행사하지 못한다.

⑤ 대법원장, 부대법원장, 대법관은 임명 후 처음으로 행해지는 지방선거 때 국민의 심사를 부친다.

⑥ 국민의 심사에 부쳐진 법관에 대해 투표자의 3분의 2 이상이 법관의 파면을 찬성하는 경우 그 법관은 파면된다.

제107조 ① 법률이 헌법에 위반되는지가 재판의 전제가 된 경우 법원은 대법원에 제청하여 그 심판에 따라 재판한다.

② 제1항의 심판에 대해 법원은 대법원에 의견을 제출할 수 있다.

③ 명령·규칙·조례 또는 자치규칙이 헌법이나 법률에 위반되는지가 재판의 전제가 된 경우 대법원은 이를 최종적으로 심사할 권한을 가진다.

④ 재판의 전심절차로서 행정심판을 할 수 있다. 행정심판의 절차는 법률로 정하되, 사법절차가 준용되어야 한다.

제108조 대법원은 법률에 위반되지 않는 범위에서 소송에 관한 절차, 법원의 내부 규율과 사무 처리에 관한 규칙을 제정할 수 있다.

제109조 재판의 심리와 판결은 공개한다. 다만, 심리는 인권

을 침해할 염려가 있거나 국가의 안전보장을 위협할 때는 법원의 결정으로 공개하지 않을 수 있다.

제110조 ① 대법원이 관장하는 다음 사안에 대해서는 대법관 3분의 2 이상의 찬성으로 결정한다.

1. 법원의 제청에 의한 법률의 위헌 여부 심판
2. 탄핵의 심판
3. 정당의 해산 심판
4. 국가기관 상호 간, 국가기관과 지방정부 간, 지방정부 상호 간의 권한쟁의에 관한 심판
5. 법률로 정하는 헌법소원에 관한 심판
6. 대통령 권한대행의 개시 또는 대통령의 직무 수행 가능 여부에 관한 심판
7. 그 밖에 법률로 정하는 사항에 관한 심판

제111조 ① 대법원 산하에 선거위원회를 두며 다음 사항을 관장한다.

1. 국가와 지방정부의 선거에 관한 사무
2. 국민발안, 국민투표, 국민소환의 관리
3. 정당과 정치자금에 관한 사무
4. 주민발안, 주민투표, 주민소환의 관리

5. 그 밖에 법률로 정하는 사무

② 선거위원회는 대법원에서 임명하는 9명의 위원으로 구성한다. 위원장은 위원 중에서 호선한다.

③ 제2항에 따라 대법원에서 위원을 임명하려면 국회 재적의원 3분의 2 이상의 동의를 얻어야 한다.

제112조 ① 선거위원회는 법률에 위반되지 않는 범위에서 소관 사무의 처리와 내부 규율에 관한 규칙을 제정할 수 있다.

② 선거위원회의 조직, 직무 범위, 그 밖에 필요한 사항은 법률로 정한다.

제113조 ① 선거위원회는 선거인명부의 작성 등 선거 사무와 국민투표 사무에 관하여 관계 행정기관에 필요한 지시를 할 수 있다.

② 제1항의 지시를 받은 행정기관은 지시에 따라야 한다.

제114조 ① 누구나 자유롭게 선거운동을 할 수 있다. 다만, 후보자 간 공정한 기회를 보장하기 위하여 필요 한 경우에만 법률로써 제한할 수 있다.

② 선거에 관한 경비는 법률로 정하는 경우를 제외하고는

정당이나 후보자에게 부담시킬 수 없다.

③ 선거운동에 드는 경비는 법률로 정하는 바에 따라 후보자에게 지원해야 한다.

제10장 지방자치

제115조 ① 지방정부의 자치권은 주민에 속한다. 주민은 자치권을 직접 또는 지방정부를 통해 행사한다.

② 지방정부의 종류와 구역 등 지방정부에 관한 주요 사항은 법률로 정한다.

③ 주민발안, 주민투표 및 주민소환에 관하여 그 대상, 요건 등 기본적인 사항은 법률로 정하고, 구체적인 내용은 조례로 정한다.

④ 국가와 지방정부 간, 지방정부 상호 간 사무의 배분은 주민에게 가까운 지방정부가 우선한다는 원칙에 따라 법률로 정한다.

제116조 ① 지방정부에 주민이 보통·평등·직접·비밀 선거로 구성하는 지방의회와 법률에 따라 구성하는 지방법원을 둔다.

② 지방정부의 조직과 운영에 관한 기본적인 사항은 법률로 정하고, 구체적인 내용은 조례로 정한다.

③ 지방행정부의 장은 법률 또는 조례를 집행하기 위하여 필요한 사항과 법률 또는 조례에서 구체적으로 범위를 정하여 위임받은 사항에 관하여 자치규칙을 정할 수 있다.

④ 지방법원의 장은 법률 또는 조례를 집행하기 위하여 필요한 사항과 법률 또는 조례에서 구체적으로 범위를 정하여 위임받은 사항에 관하여 자치규칙을 정할 수 있다.

제117조 ① 지방의회는 법률에 위반되지 않는 범위에 서 주민의 자치와 복리에 필요한 사항에 관하여 조례를 제정할 수 있다.

② 지방의회는 국회에 법률 제정을 건의할 수 있다.

③ 지방의회는 지방법원의 장을 해임할 수 있다.

④ 제3항에 따라 해임하려면 지방의회 재적의원 과반수가 발의하고 지방의회 재적의원 3분의 2 이상이 찬성해야 한다.

제118조 ① 지방정부는 자치사무의 수행에 필요한 경비를 스스로 부담한다. 국가 또는 다른 지방정부가 위임한 사무를 집행하는 경우 그 비용은 위임하는 국가 또는 다른 지방정부가 부담한다.

② 지방의회는 법률에 위반되지 않는 범위에서 자치 세의 종목과 세율, 징수 방법 등에 관한 조례를 제정할 수 있다.

③ 조세로 조성된 재원은 국가와 지방정부의 사무 부담 범위에 부합하게 배분해야 한다.

④ 국가와 지방정부 간, 지방정부 상호 간에 법률로 정하는 바에 따라 적정한 재정조정을 시행한다.

제11장 경제

제119조 ① 대한민국의 경제질서는 모든 국민에게 인간으로서 존엄과 가치를 보장할 수 있도록 균형있는 국민경제의 발전을 기함을 기본으로 삼는다.

② 국가는 경제의 성장 및 안정과 적정한 소득의 분배를 유지하고, 시장의 지배와 경제력의 집중과 남용을 방지하며, 여러 경제주체의 참여, 상생 및 협력이 이루어지도록 경제에 관한 규제와 조정을 하여야 한다.

③ 개인과 기업의 경제상의 자유와 창의는 사회정의의 한도 내에서 보장된다.

④ 국가는 경제적으로 어려운 계층의 경제력 발전을 위해 노력해야 한다.

⑤ 국가는 지방 간의 균형 있는 발전을 위하여 지방 공유자산을 유지, 발전시키며 지방경제를 육성할 의무를 진다.

제120조 ① 국가는 국토와 자원을 보호해야 하며, 지속가능하고 균형 있는 이용·개발과 보전을 위하여 필요한 계획을 수립·시행한다.
② 자연자원은 모든 국민의 공동자산으로서 국가의 보호를 받으며, 국가는 지속가능한 개발과 이용을 위하여 필요한 계획을 수립하고 이를 달성하기 위하여 노력한다.
③ 광물을 비롯한 중요한 지하자원, 해양수산자원, 산림자원, 수력과 풍력 등 경제적으로 이용할 수 있는 자연력은 법률로 정하는 바에 따라 국가가 일정 기간 채취·개발 또는 이용을 특허할 수 있다.

제121조 ① 국가는 농지에 관하여 경자유전(耕者有田)의 원칙이 달성될 수 있도록 노력해야 하며, 농지의 소작제도는 금지된다.
② 농업생산성의 제고와 농지의 합리적인 이용을 위하거나 불가피한 사정으로 발생하는 농지의 임대차와 위탁경영은 법률로 정하는 바에 따라 인정된다.

제122조 ① 국가는 국민 모두의 생산과 생활의 바탕이 되는 국토의 효율적이고 균형 있는 이용, 개발과 보전을 도모하고, 토지 투기로 인한 경제왜곡과 불평등을 방지하기 위하여 법률이 정하는 바에 의하여 필요한 제한과 의무를 과한다.

② 국가는 토지의 공공성과 합리적 사용을 위하여 필요한 경우에만 법률로써 특별한 제한을 하거나 의무를 부과하여야 한다.

제123조 ① 국가는 식량의 안정적 공급과 생태 보전 등 농어업의 공익적 기능을 바탕으로 농어촌의 지속가능한 발전과 농어민의 삶의 질 향상을 위한 지원 등 필요한 계획을 수립·시행해야 한다.

② 국가는 농수산물의 수급균형과 유통구조의 개선에 노력하여 가격안정을 도모함으로써 농어민의 이익을 보호한다.

③ 국가는 농어민의 자조조직을 육성해야 하며, 그 조직의 자율적 활동과 발전을 보장한다.

제124조 ① 국가는 중소기업과 소상공인을 보호, 육성하고, 협동조합의 육성 등 사회적 경제의 진흥을 위하여 노력해야 한다.

② 국가는 중소기업과 소상공인의 자조조직을 육성해야 하

며, 그 조직의 자율적 활동과 발전을 보장한다.

제125조 ① 국가는 안전하고 우수한 품질의 생산품과 용역을 받을 수 있도록 소비자의 권리를 보장해야 하며, 이를 위하여 필요한 정책을 시행해야 한다.
② 국가는 법률로 정하는 바에 따라 소비자운동을 보장한다.

제126조 국가는 호혜적이고 공정한 대외무역을 육성 하며, 이를 규제하고 조정할 수 있다.

제127조 민생이나 국방에 필요하여 법률로 정하는 경우를 제외하고는, 사영기업을 국유 또는 공유로 이전하거나 그 경영을 통제 또는 관리할 수 없다.

제128조 ① 국가는 기초 학문을 장려하고 과학기술을 혁신하며 정보와 인력을 개발하는 데 노력해야 한다.
② 국가는 국가표준제도를 확립한다.
③ 국가는 반지성주의를 배격해야 한다.

제12장 헌법 개정

제129조 ① 헌법 개정의 제안은 국회 재적의원 3분의 1 이상이나 국회의원 선거권자 50분의 1 이상의 찬성으로 한다.

② 대통령의 임기 연장 또는 중임 변경을 위한 헌법 개정은 그 헌법 개정 제안 당시의 대통령에 대해서는 효력이 없다.

제130조 ① 대통령은 제안된 헌법 개정안을 20일 이상 공고해야 한다.

② 국무총리는 제안된 헌법 개정안의 표결을 제헌의회에서 하고자 하는 경우 대통령에게 제헌의회 소집 건의를 할 수 있다.

③ 대통령은 국무총리가 제헌의회 소집 건의를 하면 이를 즉시 소집해야 한다.

④ 제헌의회 의원은 국민이 보통·평등·직접·비밀 선거로 선출하여 구성하되, 그 조직과 운영 기타 필요한 사항은 법률로 정한다.

제131조 ① 제헌의회는 소집 후 180일 이내로 존속 한다.

② 제헌의회가 소집되면 국회는 즉시 해산하며 국회의 모든 기능과 권한은 제헌의회로 이관된다.

③ 제헌의회가 소집되면 내각은 즉시 총사퇴하며 부통령이

국무총리를 대행하며 새로운 내각을 구성 한다.

④ 제헌의회는 재적의원 과반수의 찬성으로 법관을 파면할 수 있다.

⑤ 제헌의회는 대법원, 지방의회, 지방정부, 지방법원의 권한을 제한할 수 있다.

⑥ 제헌의회는 제안된 헌법 개정안이 표결에서 부결되면 헌법 개정안을 수정하여 표결에 다시 부쳐서 의결할 수 있다.

⑦ 제헌의회는 헌법 개정이 확정되면 새로운 헌법에 따라 구성된 국회의 최초 집회일 전일까지 존속하며, 헌법 개정이 국민투표에서 부결되거나 180일 이내로 의결하지 못하면 기존 헌법에 따라 다시 국회를 구성하고 구성된 국회의 최초 집회일 전일까지 존속하며, 그 국회의원의 임기는 기존에 해산된 국회의원 임기의 잔여 임기로 하며, 나머지 헌법상의 기구도 기존 헌법에 따라 다시 구성한다.

제132조 ① 제안된 헌법 개정안은 공고된 날부터 60일 이내에 국회 혹은 제헌의회에서 표결해야 하며, 재적의원 3분의 2 이상의 찬성으로 의결한다.

② 헌법 개정안이 의결한 날부터 30일 이내에 국민 투표에 부쳐 국회의원 선거권자 과반수의 투표와 투표자 과반수의 찬성을 얻어야 한다.

③ 헌법 개정안이 제2항의 찬성을 얻은 경우 헌법 개정은 확정되며, 대통령은 즉시 이를 공포해야 한다.

부칙

제1조 ① 이 헌법은 공포한 날부터 시행한다. 다만, 법률의 제정 또는 개정 없이 실현될 수 없는 규정은 그 법률이 시행되는 때부터 시행하되, 늦어도 2026년 8월 15일에는 시행한다.

② 제1항에도 불구하고 이 헌법을 시행하기 위하여 필요한 법률의 제정, 개정, 그 밖에 이 헌법의 시행에 필요한 준비는 이 헌법 시행 전에 할 수 있다.

제2조 ① 이 헌법이 시행되기 전까지는 그에 해당하는 종전의 규정을 적용한다.

② 종전의 헌법에 따라 구성된 지방자치단체, 지방의회, 지방자치단체의 장은 이 헌법 제9장에 따른 지방의회와 지방행정부의 장이 선출되어 지방정부가 구성될 때까지 이 헌법에서 정하는 지방정부, 지방의회, 지방행정부의 장으로 본다.

③ 종전의 헌법에 따라 구성된 교육청은 폐지되어 지방정부

에 통합되며 교육감은 직위를 상실한다.

제3조 ① 이 헌법 개정 제안 당시 대통령의 임기는 2026년 8월 14일까지로 하며, 중임할 수 없다.
② 이 헌법 개정 제안 당시의 대통령이 궐위되거나 사고로 인하여 직무를 수행할 수 없을 때에는 국무총리, 법률이 정한 국무위원의 순서로 그 권한을 대행하며 국무위원도 모두 궐위되거나 사고로 인하여 직무를 수행할 수 없을 때에는 차관 중에서 최선임자가 그 권한을 대행한다.
③ 이 헌법이 시행되고 나서 부통령이 선출되기 전에는 국무총리가 그 권한을 대행한다.
④ 이 헌법이 시행되고 나서 국무부총리가 선출되기 전에는 국무위원 중 최선임자가 그 권한을 대행한다.

제4조 ① 이 헌법 개정 제안 당시 국회의원의 임기는 2026년 8월 14일까지로 한다.
② 이 헌법 개정 제안 당시 국회의원 중 비례대표 국회의원이 궐위된 경우 승계자를 기존의 법률에 따른 조항을 따르지 아니하고 각 정당의 대표자에 의해 지명받는 자가 승계한다.

제5조 ① 이 헌법 개정 제안 당시 대법원장, 대법관의 임기는 2026년 8월 14일까지로 하며 대법관 중 최선임자는 이 헌법에 의한 부대법원장으로 간주하며 임기는 2026년 8월 14일까지로 한다.

② 종전의 헌법에 따라 구성된 헌법재판소는 폐지되며 재판관은 직위를 상실한다.

제6조 ① 2022년 6월 1일에 실시하는 선거와 그 재·보궐선거 등으로 선출된 지방의회 의원 및 지방자치단체 의장의 임기는 2028년 8월 14일까지로 한다.

② 2022년 6월 1일에 실시하는 선거와 그 재·보궐선거 등으로 선출된 교육의원은 이 헌법 시행과 동시에 그 직을 상실한다.

제7조 ① 이 헌법 시행 당시의 공무원은 이 헌법에 따라 임명 또는 선출된 것으로 본다.

② 이 헌법 시행 당시의 감사원장, 감사위원은 이 헌법에 따라 감사원장, 감사위원이 임명될 때까지 그 직무를 수행하며, 임기는 이 헌법에 따라 감사원장, 감사위원이 임명된 날의 전날까지로 한다.

③ 이 헌법 시행 당시의 감사원장, 감사위원의 임면권은 국

회에 있는 것으로 간주한다.

제8조 ① 군사법원은 이 헌법에 따라 폐지한다.
② 군사법원에 계속 중인 사건은 법원으로 이관된 것으로 본다.

제9조 ① 이 헌법 시행 당시의 법령과 조약은 이 헌법에 위반되지 않는 한 그 효력을 지속한다.
② 종전의 헌법에 따라 유효하게 행해진 처분, 행위 등은 이 헌법에 따른 처분, 행위 등으로 본다.

제10조 이 헌법 시행 당시 이 헌법에 따라 새로 설치되는 기관의 권한에 속하는 직무를 수행하고 있는 기관은 이 헌법에 따라 새로운 기관이 설치될 때까지 존속 하며 그 직무를 수행한다.

제11조 이 헌법 시행 당시의 지방자치에 관한 규정은 이 헌법에 따른 조례, 자치규칙으로 본다.

제12조 이 헌법 시행과 동시에 사형 판결을 받고 집행되지 않은 자는 무기징역으로 감형한다.

III. 자주적인 국왕 묘호와 예우 등에 대한 연구

우리는 여러 연구를 통해 국가적 위상 회복을 위해서는 이전 왕조의 묘호가 없으면 이를 정돈할 필요가 있음을 주장했다. 이에 따라서 아래와 같은 묘호와 관련 예우를 제안하고자 한다.

발해의 경우 선왕 이후는 묘호에 대해 알려진 것이 없으므로 이름의 중간 글자를 따서 이왕, 건왕, 현왕, 위왕, 인왕으로 부르고 폐위되어서 폐왕이라는 별칭이 있는 대원의는 원왕으로 불러야 한다.

한편 고려의 경우 원종 이후로는 묘호가 없으므로 기존 명칭의 가운데 글자를 따서 열종, 선종, 숙종, 혜종, 목종, 정종, 민종, 우종, 창종, 양종으로 해야 하고 황제국에 맞는 예우를 해야 한다.

조선 혹은 대한제국의 경우 명과 청이 내린 시호는 삭제하고 연산군과 광해군에게도 묘호를 제정하여 기존 봉호의 앞 글자를 따서 연종, 광종으로 해야 하고 이외의 예우도 다른 왕 혹은 황제와 동일하게 해야 하며 종묘에도 모실 필요가 있다.

이를 통해 과거의 사대주의적 풍토를 혁파하고 더욱 자주적인 대한민국의 밝은 미래와 과거사 청산을 통한 정의 확립에도 도움이 될 것으로 기대된다.

IV. 정당 해산의 정당성 사후 판별법

우리 헌법을 비롯하여 대다수의 민주 국가 헌법에는 비민주적이고 위헌적인 정당을 방어적 민주주의 차원에서 해산하도록 하는 조항이 있다.

이에 따른 정당 해산이 사후의 정당성을 가지려면 대게 정당 해산에 따른 공석이 된 공직자 선거구의 보궐선거에서 해산된 정당의 구성원 중에서 후보자를 내지 못하거나 당선 혹은 10퍼센트 이상의 유의미한 득표를 하지 못한 경우 대중은 그 해산이 정당하다고 보며 그것은 사실상 정당한 해산으로 봐야 한다.

또한 해산된 정당의 구성원 중에서 기존의 직책에 다시 동일하게 출마한 자의 경우 상대적으로 높은 인지도와 기존 조직의 손쉬운 동원 가능성으로 인해 해당 지역주민의 표를 더 많이 받는 경우가 흔하므로 그것을 고려하여 선거 결과에 대해 올바르게 분석해야 하며 특히 그들에 의해 조직적인 불법 선거 운동이 없었는지도 주의 깊게 살펴봐야 한다.

V. 우리 문화 바로 세우기

우리 문화를 살펴보면 아쉬운 부분이 많아 이러한 점에서 우리는 제언을 하고 자주성을 강화하면서 사회적 풍토 개선 방안에 대해서 말하고자 한다.

첫째로는 발해에 대한 계승 의식 확립이다. 우리 역사에서 발해는 한국사로 봐야 하며 다른 나라의 역사가 조금도 될 수 없다.

특히 중국의 역사 왜곡 문제가 제기되는 현시점에서 발해는 한국사이고 한국의 전신 중 하나이며 현재 우리는 완전한 발해 문화의 계승자로 선포하고 이러한 행사와 활동을 적극적으로 해야 한다.

둘째로는 부통령과 대통령 권한대행의 예우 문제이다. 우리 역사상 부통령과 대통령 권한대행은 사실상 대통령급 위상을 가진 사람들로 이를 대통령급 예우를 하는 것은 과거 국가 지도자급 인사에 대한 예우이자 좋은 전통을 확립하는 것이다.

또한 김구 주석이나 문민정부 행정부의 강한 영향력을 미친 초실세 직위인 여당 대표위원을 역임한 김종필 총재처럼 부통령 혹은 대통령 권한대행은 아니지만 대통령급 위상을 가진 정치 지도자에 대해서도 대통령급 예우를 해야 한다.

이외에도 근래에 주목받은 동학사상이 사실상 우리 일상에서도 흔히 볼 수 있는 점을 다시 알아야 한다. 원불교, 대종교, 천도교, 증산교, 무교, 선교 등이 사실상 동학이 분화된 것과 같은 것이다. 고로 이러한 재확인도 우리 문화 바로 세우기에 일조하는 것이다.

VI. 한국적 보건 의료에 관해

한국에는 전통적인 의학인 한의학과 현대 의학인 일반 의학이 존재한다. 대개 전자를 한의사로 부르고 후자를 의사로 부른다. 특히 의사 증원 문제가 근래의 화두가 되면 이러한 한국적 보건 의료 확립의 중요성이 날로 커지고 있다.

먼저 의사 부족 문제에서 공공의대 설치 주장이 나온 것부터 살펴보아야 한다. 이러한 주장에서 신설을 추진하는 공공의대의 경우 특정 의과대학을 신설해야 하므로 그 비용이 막대하고 기존의 의사 집단 내부의 학벌 문제 해소에도 큰 도움이 되지 않아 불필요한 신설이라고 할 수 있다. 다만 그 설치 취지와 필요성에 대해서는 누구나 공감할 수 있다.

그러므로 공공의대가 아니라 공적 의료 장학금 제도를 도입해야 한다. 일반 의대 재학생이 장학금 수혜자로 선정되면 등록금을 면제하고 생활비와 품위유지비를 지원받는 대신 10년간 외진 곳에서 공중보건의로 근무해야 한다. 이 제도는 별도의 의대를 신설하지 않아 비용 절감 효과가 있으며 다양한 의대 출신을 받을 수 있어 상당히 의학적으로 여러 비결을 얻을 수 있는 장점이 존재하고 저소득층의 의사 진로에 큰 도움도 된다.

한편 위에서 언급한 한의학의 경우 근래의 여러 문제와 함께 개선 방안이 요구된다. 먼저 한의학의 현대화 문제이다. 한의학 자체가 전통 의학이지만 현대 과학기술의 발전과 그 연구 성과를 적극적으로 접목할 필요성이 제시되며 이를 받아들여서 한 단계 업그레이드된 혁신적 의학이 되어야 한다.

또한 한의학의 학술적 풀을 넓히기 위해 중의학이나 일본 한방의학뿐만 아니라 아유르베다의학, 이란전통의학, 미국원주민의학 등 각국의 전통 의학을 하나로 접목하여 큰 그릇이 되어야 할 필요성이 있다. 특히 근래에 추나요법을 발전하면서 카이로프로텍을 접목하는데, 이는 아주 좋은 사례이며 모든 한의대가 카이로프로텍을 의무적으로 가르칠 필요성이 있을 정도이다.

이외에도 한의대가 설치된 대학 자체의 브랜드 평판을 올려서 한의대가 명문대에 설치된다는 사회적 인식을 끌어낸다면 한의학이 혁신적인 형태로 새롭게 발전될 수 있는 긍정적 가능성을 제시할 수 있다.

VII. 인식 범위의 확장

인간이 지리를 인식하면서 지도상의 그어진 선과 달리 생활권을 중심으로 그 범위를 인식하고자 하는 특성이 있기에 가끔 혼란이 발생하기도 한다.

예를 들어 국내에서 수도권은 서울특별시, 인천광역시, 경기도를 의미하지만, 실제 현실에서 수도권 인식은 천안시, 아산시를 포함하며 조금 더 넓게는 세종특별자치시 북부지역(소정면, 전의면, 전동면, 조치원읍)을 포함하기도 한다.

또한 외국의 예를 살펴보면 지리적으로 부건빌의 경우 오세아니아로 분류되지만, 문화권 적으로 아시아에 포함된다고 보며 실제 역사적으로도 아시아와 좀 더 깊은 관계가 많다. 특히 일본과의 관계도 있을 정도이므로 문화권 적으로 아시아라고 보는 것은 그 근거가 상당하다고 할 수 있는 셈이다.

이러한 인식의 변화는 실제 인프라에도 깊은 영향을 미친다. 부산광역시와 밀양시의 경우 광역전철이 존재하지는 않으나 사람들 인식 속에서 부산과 밀양은 동일생활권이며 일일생활권으로 분류되니 누리로 혹은 무궁화호가 증편되어 사실상의 광역전철 역할을 하게 되고 상호 출퇴근이 활발해지면서 새로운 광역전철 건설 논의도 제기되고 있다.

결국 인간에게 지리적 인식 범위의 확장은 실제 현실에서의 유의미한 변화와 다시 그것이 인식을 더 넓히는 선순환적 구조로 이루어지는 것은 우리는 여러 사례를 통해 알 수 있는 셈이다.

VIII. 아시아지역학과 경영학

우리가 다루는 아시아지역학이 경영학의 도움으로 탄생하고 일각에서는 경영학의 한 하위 학문으로 보기도 한다는 것은 공공연한 사실이다.

이러한 점에서 아시아지역학과 경영학의 상호 연관성에 대해서 살펴볼 필요가 있으며 이를 과학적 방법에 따라 규명해 보면 학술적 발전에도 도움이 될 것이다.

먼저 학교 현장에 대해서 살펴보면 대게 아시아지역학이 국내에서 별도의 학과로 직접 개설된 예는 없지만 연계전공으로 개설된 경우가 많으며 일반적으로 경영학부 산하의 전공으로 취급받는 경우가 많다.

또한 편입생의 경우 학점은행제나 독학학위제의 경우 경영학을 전공해서 아시아지역학으로 편입하면 사실상 동일한 전공으로 인식되어 그 학위는 없는 것으로 보는 경우도 많은 편이다.

이외에 과목을 살펴보면 대게 '회계학원론', '경영경제수학', '경영과컴퓨터', '경제학원론', '경영학원론', '경영통계학'을 기초 이수과목으로 정하며 이들 과목과 내용이 유사한 과목으로 '위대한지도자들과그들의선택', '문화예술과감각활용', '바이오헬스인문학', '4차산업혁명과서비스경영'이 있으며 이들 과목은 대개 경영학 과목과 내용이 동일하다. 또한 자유로 분류된 과목은 제2전공 과목과 교양 과목을 동시에 인정하는 과목으로 본다. 그리고 이들 과목은 명칭은 다르지만, 기본적으로 경영학을 다루고 이해시키는 과목이다.

IX. 결론

우리가 연구한 결과물을 살펴보면서 용인과 함께한 것이 얼마나 귀중하고 아시아지역학의 경영적 발전에 큰 도움이 된 것을 알 수 있었다.

또한 이러한 현실적 결과를 통해서 앞으로 아시아지

역학 선도 도시로 용인이 성장하면서 그 미래와 발전상에 대해서도 간접적으로 알 수 있었다.

또한 근래에 용인이 몽골과 급격히 교류가 늘어나면서 관련 학과와의 협력이 강화되는 점에서 알파라이징적 혁신이 용인에서도 일어나고 있다.

한편 우리는 이러한 연구회의 연구 성과를 바탕으로 숙고를 거치면서 용인 실정에 맞는 새로운 혁신적 도시 경영 방안에 대해서도 심도 있게 논의할 수 있음을 우리가 알게 되었다.

용인학을 살펴보다

I. 머리말

아시아지역학을 통해 용인을 다루므로 기본적으로 용인학에 대해서 살펴볼 필요가 있다. 용인의 어제와 오늘을 이해하고 너 나은 미래상을 구성하며 옴니버스 적으로 용인에 대해 깊이 있게 이해하면 좋은 성과를 낼 수 있을 것이다. 또한 용인학은 경기도 최초로 만들어진 지역학이므로 그 의미도 상당한다.

한편 용인학의 개관을 알고자 하면 용인의 지리와 인

문 환경을 이해하고 대표 유적지를 살펴보아야 한다. 또한 인간적 특성에서 용인의 역사와 인물을 이해하면 그 역사적 흐름을 이해하고 유명 인물의 행적과 역사적 의의를 이해함으로써 입체적인 이해가 가능할 것이다.

이외에도 민속적 이해가 중요하다. 용인 지역에 내려오는 전통 축제와 민속놀이에는 어떤 것이 있는지를 알고 그 문화적 의미를 이해해야 하며 용인의 대표 지역 명소를 탐방하고, 용인 문화의 아름다움을 체험할 필요성도 있다. 고로 이러한 심층적 관점에서 용인학을 깊이 있게 천착하여 새로운 용인을 살펴보아야 한다.

II. 용인의 설화와 불교문화 이야기

용인 지역에는 전해지는 설화가 많으며 그 설화 속에 담긴 지역 정서와 특수성의 우수성과 가치에 대해서 심도 있게 이해할 필요성이 있다.

또한 그러한 문화적 가치가 지역 유명 명소라고 할 수 있는 백남준 아트센터와 같은 곳에서 실전적 사례를 확인하고 용인 문화 콘텐츠 개발에 대해 긍정적으로 생각해 보면 더욱 좋을 것이다.

한편 용인 지역 불교문화의 역사와 특징을 이해하고 대표적 불교문화 유산에 대해 현장 탐방을 통해 알아봄으로써 용인의 과거에 대해 심도 있게 알 수 있다.

III. 용인 도시의 발전과 특성

용인시 도시 발전의 역사와 특징을 알고 앞으로의 발전상을 예측하는 것은 상당히 중요하다. 특히 이러한 예측 중에서는 과거 유적지를 탐방하는 방법도 있다. 예컨대 석주선박물관을 통해 그 역사와 소장 유물을 살펴보면서 도시의 발전과 특성을 살펴보는 식이다.

이외에도 현재 용인이 중국에 상당한 관심을 통해 문화, 경제적 성과와 이익을 내려는 것도 쉽게 알 수 있다. 예를 들어 삶의 철학을 통한 중국어 강독이나 중국 통상 및 시사 그리고 중국어권 문화에 대해서 심도 있는 이해를 하는 것도 용인이 지금 중국에 대해 추구하는 관심 키워드와 일치하므로 용인 특유의 중국 공부라고도 해도 결코 과언이 아니다.

IV. 용인시 산업구조 및 일자리 변화와 미래

　용인시의 산업구조 및 일자리 현황을 이해하고 향후 변화를 예측해 보는 것은 기본적으로 도시의 내일과 현재를 살펴보는 가장 기본적인 것이라고 할 수 있다.

　또한 이 과정에서 용인의 마을 공동체를 살펴보는 것도 병행할 필요가 있다. 용인에서 진행되고 있는 마을 공동체 사업 현장에 대해 알아보고 보다 나은 마을 가꾸기를 위한 대안을 구상해 보면서 산업구조 및 일자리 변화의 미래에 대해서도 깊게 이해가 가능한 것이다.

　한편 용인은 문화예술과 감각 활용에 대해서 깊게 고민하고 있고 그러한 교육이 관내에서 유행하는 경향이 있다. 이 과정에서 창의적 사고가 피어나면서 역사를 공부해서 경영학을 발전시키는 특유한 연구도 나올 정도이니 그 활성화가 상당하다. 이외에도 근래에 문제가 되는 '망 중립성'이나 '마이크로 크레딧'도 용인에서 각광받는 산업적 주제이다. 이러한 것을 통해서 용인이 혁신적 변화를 추구하는 산업 지향적 도시임을 알 수 있고 이를 통해서 미래 용인도 예측할 수 있다.

V. 용인의 성장과 미래

용인이 성장하면서 그 성장을 참고하여 발전하고자 하는 도시도 등장한다. 예컨대 충남도청신도시개발이나 성환신도시개발도 용인의 신도시 개발 사업을 많이 참조했고 실제도 두 지역도 용인과 비슷한 느낌이 난다.

이외에도 용인의 성장은 지금도 계속되고 있으며 이미 국제적으로는 서울을 넘어 뉴욕 혹은 런던과 어깨를 나란히 한다는 평가를 받을 정도로 성장한다.

이외에도 용인은 전국 문제에 있어 깊이 있는 관심으로 적극적으로 타 지역에 참여하고자 한다. 우리 연구회도 이러한 용인의 입장에 발맞추어 많은 타 지역 연구도 용인적 입장에서 해볼 수 있었다.

예컨대 울산 지역은 독도 문제에 관심이 많고 박어둔이라는 안용복을 후원하고 직접 참여한 위인의 발전과 울릉도와 울산의 깊은 교류 관계도 알 수 있었다.

이외에도 포항시와 경주시는 울산 생활권이고 천안

사람들이 한국전쟁 당시에 울산으로 피난을 많이 와서 깊은 교류를 현재도 하는 것과 온산읍 도로명 주소 중 지번 주소만 있는 목도가 도로명주소 '울산광역시 울주군 온산읍 온산로 68'에 포함되어야 한다는 것도 알 수 있었다. 이러한 것은 용인이 포용적 도시이기에 우리도 할 수 있는 연구이자 성과라도 첨언 가능하다.

VI. 결론

도시는 포용적이어야 크게 성장할 수 있는 것은 인류 역사에서 자명한 진리이다. 이러한 점에서 용인은 상당히 포용적이면서도 따뜻한 도시이다.

우리도 이러한 도시의 관점에서 연구하니 오히려 다른 지역을 봄에도 그 지역에서 못 보는 객관적인 것들도 추가로 볼 수 있는 일을 할 수 있었다.

대게 원적이라고 할 수 있는 할아버지 고향 주소가 개인에게 실질적으로 고향의 역할을 할 수 있는 것이다. 예를 들면 할아버지 고향이 경상남도이면 그 사람도 경상남도 사람으로 분류할 수 있는 것이며 이것은 우리나라의 전통적 지연의 관점이다.

한편 성씨에 관한 연구 성과를 살펴보면 예컨대 벽진 이씨는 경남에서 제일 많이 살며 고령군, 성주군, 칠곡군, 청도군은 경남 생활권이고 화천군 화남면과 남원시 덕과면에 경남 정체성을 가진 사람이 많이 사는 것도 밝혀낼 수 있었다.

이외에도 부산은 울산과 경남에 강력한 영향을 주는 동남권 중추도시이며 그중에서도 사하구는 울산과 경남과 긴밀한 교류가 많고 역사적으로는 울산과 경남 일부 지역과는 같은 행정구역이었음을 알 수 있었다.

이러한 연구가 용인이 아닌 다른 지역이어서 의아할 수 있지만 그만큼 용인에 부·울·경 출신이 많이 살아 그들의 뿌리도 살펴야 용인을 입체적으로 알 수 있는 것도 있지만 용인의 위상이 올라가면서 다른 지역에 대해서도 이해도가 조금은 있어야 전국적 영향력을 끼칠 수 있으므로 그 기초로써 연구할 수 있었던 것도 있다.

결론적으로 용인은 더욱 성장하고 있으며 더욱더 개방적이고 팽창적인 도시로 나아가면서 다양한 문화와 지역과의 융합을 통해 성장해 나갈 것이다.

유학동양학과 아시아지역학 그리고 용인

Ⅰ. 머리말

한국 역사에서 유교가 가진 위상은 상당하며 아시아 전역에서도 유교가 많은 영향을 주었다. 또한 우리가 일반적으로 생각하는 동아시아 이외의 아시아지역에서도 하나의 정치적 이데올로기로 유교가 전파되어 새롭고 혁신적으로 응용되었다.

이러한 상황에서 유교는 종교로 보거나 철학으로 보는 두 관점이 혼재되어 학자들에게 큰 혼란을 주었다.

이러한 것을 구분하기 위해 종교로써의 유교는 'Ruism'이라고 부르며 철학 사조로써의 유교는 'Confucianism'으로 구분하여 부른다.

이는 유교가 인격신과 사후세계관이 다소 불분명하여 완전한 종교로 보기 어려우므로 맹목적이고 비과학적인 신앙적 측면은 종교로 보고 현실 세계에서 유의미한 영향을 준 것과 비록 현대 시대에는 맞지 않아도 전 근대에는 정치적 사상으로 효율적인 작용을 한 부분은 철학으로 구분하여 바라보는 것이다.

II. 유교와 유학동양학

유교는 위에서 언급한 것처럼 다양한 형태로 아시아 지역에 영향을 주었고 서구와 구분되는 아시아의 정신적 실체 중 하나로 유교가 적용될 수 있다. 그러한 점에서 중립적으로 바라보기 위해 유교가 아닌 유학이라는 명칭을 사용하기도 한다. 특히 근래의 유학이라는 명칭은 철학으로서의 유교를 강조하는 것을 넘어 좀 더 중립적인 하나의 학문으로 보려고 하는 것이다.

그러나 이러한 학문적 재해석 속에서 특정 철학 사조 중 하나의 학문으로 존속하는 것이 아니라 아시아 자체를 경영하면서 자주적으로 바라보는 독자적인 학문으로 별도로 성장하기 위해 유학동양학(Confucian and Oriental Studies)이라는 명칭이 등장했다.

이는 종교 혹은 철학 중 하나의 사조로서의 의미에서 탈피하여 아시아를 통섭적으로 바라보자는 의의이며 사실상 아시아지역학과 같은 학문으로 여겨질 정도로 성장했다. 특히 아시아지역학이 경영학으로 분류되는 만큼 유학동양학도 사실상 경영학으로 본다.

III. 공자와 경영학 그리고 유학동양학

독자 입장에서는 공자와 경영학의 관계를 생각하면 상당히 의아함을 느낄 수 있다. 일반적으로 쉽게 연상되기 어려운 조합이기가 그러하다. 하지만 공자는 경영학의 상당한 선각자이며 공자의 학문은 사실상 그 표현 방법이 다르다 뿐이지 경영학과 같다.

특히 유학 십삼경의 경우 동양의 전통 경영학 서적이

라고 불러도 과언이 아니다. 예컨대 십삼경으로 경영해서 성공한 기업인은 그 숫자가 상당하며 유학이 경영학이라고 부르는 이가 많은 것도 그 이유가 있는 것이다.

또한 공자의 경우 춘추전국시대의 혼란상을 극복하기 위해 유학을 탄생시켰으므로 당연히 경영적 우위성이 없으면 학문으로서 의의가 없는 것이다. 그러한 점에서 역사적 배경을 살펴보아도 경영학의 시초임을 대번에 알 수 있는 것이다.

IV. 결론

유학과 그 주위의 변화 속에서 유학동양학으로 대표되는 학술적 재해석도 동반된다. 예를 들어 유학이라고 하면 유교의 학문이라는 뜻도 있지만 근래에는 유교의 고정적 틀에서 탈피하여 보편적인 아시아의 원리를 찾아보는 하나의 학문적 구호로써 유학 혹은 유학·동양학으로 부르기도 하는데 이는 아시아지역학과 사실상 일맥상통하고 거의 명칭만 다르고 아시아지역학과 같다고 해도 과언이 아니며 당연히 경영학과도 같다.

한편 여러 학문의 예시를 통해 간접적으로 언급된 경영은 기본적으로 다른 이들에게 동기를 부여하는 일로 조직의 구조와 행동의 원리를 연구하는 중요한 분야로 기술의 발전과 소비자의 기호 변화 그리고 국제시장에서 경쟁의 심화는 이러한 경영에 대한 주목을 높이고 있으며 급변하는 비즈니스 환경에 적응하고 문제를 해결하면서도 국제화 감각도 겸비한 창의적이고 주도적인 소양을 갖춘 리더를 이 시대가 요구하고 있습니다.

결국 이렇게 된 시대의 요구는 그 배경에 코페르니쿠스적 혁신에서 벌어지는 것들로 이 책의 주제인 용인도 이러한 시대적 변화와 리드에 발맞추어야지만 혁신적인 21세기의 도시로 더욱 자리매김할 수 있을 것이다. 그리고 그 가운데 유학동양학으로 불리는 아시아지역학도 충분히 살펴보아야 함도 알 수 있는 것이다.

아시아지역학으로 보는 용인의 재발견

발행 2024년 02월 14일

지은이 대한아시아지역학연구회
발행처 주식회사 부크크
출판등록 2014.07.15. (제2014-16호)
발행인 한건희
주소 서울특별시 금천구 가산디지털1로 119 SK트윈타워 A동 305호
이메일 info@bookk.co.kr
전화번호 1670-8316
ISBN 979-11-410-7174-5